Les métiers au Moyen Age

Leurs « signatures » dans les vitraux

Cathédrale de

CHARTRES

2ᵉ édition

JEANINE SAUVANON

Éditions HOUVET

PRÉFACE

Rassembler dans un même ouvrage les "signatures" des divers métiers du moyen âge dans les verrières de Chartres n'avait pas encore été fait. Madame Sauvanon, guide passionnée et passionnante, de notre cathédrale nous propose ce petit livre qui, en quelques pages, fait pénétrer dans l'univers du XIIIe siècle.

Les artisans, les commerçants, les bâtisseurs, les paysans sont tous là, pris en pleine action, comme le ferait un instantané photographique.

Généreusement, ils ont offert telle ou telle verrière et signent ainsi, d'une manière délicate, leur mécénat.

Mais il y a plus que cela. C'est toute la vie d'un peuple laborieux qui s'offre elle-même à Notre Dame et, par elle, à Dieu. C'est la vie active qui vient ici rejoindre la vie contemplative. C'est le travail de l'homme qui est ici magnifié, bénit et sanctifié.

Ailleurs, le sculpteur, aux voussures du porche central nord, montre Dieu bénissant le travail de l'homme et de la femme après la faute originelle. C'est dire combien la théologie médiévale a d'estime pour le travail des hommes. Saint Thomas d'Aquin écrira que "la vie active est requise par l'amour du prochain" (S.T.2.2.Q.182) tant il est vrai que le métier est mis au service d'autrui. Produire, fabriquer c'est l'activité typique de l'homme. Le monde a été donné à l'homme pour qu'il en achève la création. Le travail est donc à la jonction de l'homme et de l'univers, il est aussi à la jonction de l'esprit et de la matière.

Ici, dans notre cathédrale, le travail est au point de rencontre de l'homme et de son créateur.

Ici, depuis sept siècles, le travail est devenu prière.

François LEGAUX
Recteur de la cathédrale de Chartres

A Jean Villette,
qui m'a fait découvrir
et aimer le Moyen-Age.

LES MÉTIERS DANS LES VITRAUX

Fenêtres basses

La visite commence ici par le bas-côté sud, continue par le déambulatoire (tour du chœur) et se termine par le bas-côté nord.

N° 1. LES ARMURIERS. St Jean l'Évangéliste. *(1 et 3)*.

N° 2. LES PORTEURS D'EAU (les ÉVIERS). Ste Marie-Madeleine. *(1 à 3)*.

N° 3. LES CORDONNIERS-SAVETIERS. Le bon Samaritain. *(1 à 5)*.

N° 4. LES CORDONNIERS-SAVETIERS. Mort et Assomption de la Vierge. *(1 à 5)*.

N° 5. LES BOUCHERS. Miracles de Notre-Dame. *(1 à 3)*.

N° 6. LES MARCHANDS DE POISSON. St Antoine, et St Paul ermite. *(1 et 2)*.

N° 7. LES VIGNERONS. Histoire de la Vierge. *(1)*.

N° 8. LES VIGNERONS. Le Zodiaque *(calendrier)*. *(2)*.

N° 8. LES SONNEURS-CARILLONNEURS. Le Zodiaque. *(2)*.

N° 9. LES CORROYEURS. St Martin. *(1 à 4)*.

N° 10. LES TANNEURS. St Thomas Becket. *(1 à 3)*.

N° 11. LES MAÇONS. St Sylvestre. *(1 à 3)*.

N° 12. LES BOULANGERS. Histoire des Apôtres. *(1 à 3)*.

N° 13. LES FOURREURS. St Jacques le Majeur. *(1)*.

N° 13. LES DRAPIERS. St Jacques le Majeur. *(2)*.

N° 14. LES FOURREURS. Charlemagne. *(1)*.

N° 15. LES TISSERANDS. St Théodore et St Vincent. *(1 et 2)*.

N° 16. LES CORDONNIERS. St Étienne. *(1 et 2)*.

N° 17. LES MAÇONS, TAILLEURS DE PIERRE ET YMAGIERS. *(1 et 2)*.

N° 18. LES MAÇONS ET LES TISSERANDS. St Savinien et St Potentien. *(1 et 2)*.

N° 19. LES CHARPENTIERS, MENUISIERS, TONNELIERS ET CHARRONS. St Julien l'Hospitalier. *(1 à 3)*.

N° 20. LES MARÉCHAUX-FERRANTS. La Rédemption. *(1 à 3)*.

N° 21. LES ÉPICIERS, MERCIERS ET APOTHICAIRES. St Nicolas. *(1 à 5)*.

N° 22. LES CHANGEURS. Histoire de Joseph. *(1 et 2)*.

N° 23. LES DRAPIERS ET LES FOURREURS. St Eustache. *(1 à 4)*.

N° 24. LES CABARETIERS ET LES VIGNERONS. St Lubin. *(1 à 24)*.

N° 25. LES CHARPENTIERS-MENUISIERS, LES TONNELIERS ET LES CHARRONS. Noé. *(1 à 5)*.

Fenêtres hautes

La visite se fait aussi en commençant par le sud de la nef.

N° 26. LES BOULANGERS-PATISSIERS. St Jacques le Majeur.

N° 27. LES BOULANGERS. St Pierre.

N° 28. LES CHAUSSETIERS. St Jacques le Majeur.

N° 29. LES TOURNEURS. St Calétric.

N° 30. LES TOURNEURS. Moïse - St Barthélémy.

N° 31. LES MÉGISSIERS. St Paul.

N° 32. LES CHANGEURS. Gabriel-Zacharie-Jean-Baptiste.

N° 33. LES DRAPIERS ET LES FOURREURS. Daniel-Jérémie.

N° 34. LES BOULANGERS. Moïse-Isaïe.

N° 35. LES BOULANGERS. Vitrail de la Vierge.

N° 36. LES CHAUSSETIERS. Aaron.

N° 37. LES BOUCHERS. Ézéchiel-David.

N° 38. LES CHANGEURS. St Pierre recevant les clefs.

N° 39. LES LABOUREURS. Petite rose.

N° 40. LES PORTEFAIX. St Gilles.

N° 41. LES CHANGEURS. Un apôtre.

N° 42. LES MÉGISSIERS. St Nicolas.

N° 43. LES FOURREURS. Quatre apôtres.

N° 44. LES TISSERANDS. St Étienne.

N° 45. LES POTIERS D'ÉTAIN. St Lubin. *(Petite rose)*.

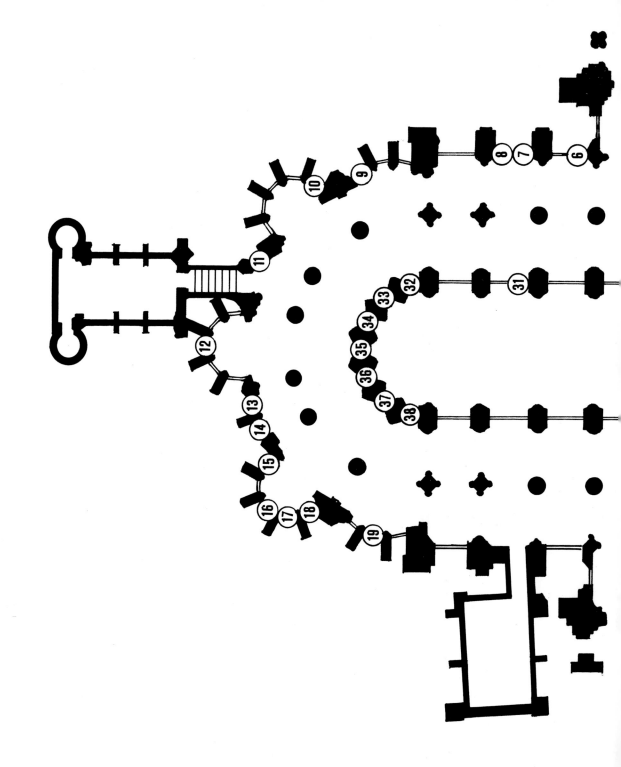

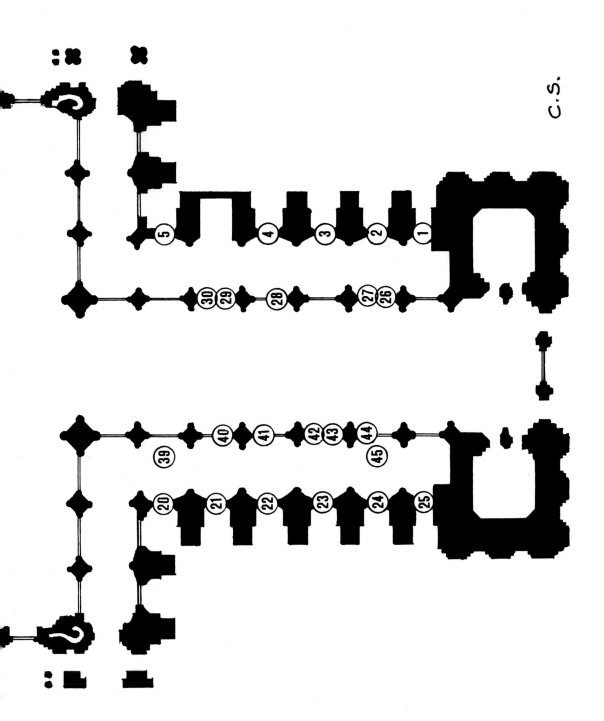

C. S.

Nota

Les "signatures de corps de métiers" sont placées, le plus souvent, au bas des vitraux, parfois dans les angles inférieurs des bordures.

Le numéro qui précède le nom de métier correspond au numéro du plan qui est en début de ce livre.

Les numéros entre parenthèses indiquent l'emplacement des scènes dans la verrière, sachant qu'un vitrail se lit habituellement de bas en haut et de gauche à droite. Le chiffre 1 correspond donc à la première scène, en bas et à gauche du vitrail.

Lorsque la signature se présente à un emplacement particulier, un croquis du vitrail accompagne la description.

Au jour d'impression de cet ouvrage, la campagne de nettoyage des vitraux n'est pas terminée. De ce fait, le lecteur remarquera, peut-être, une différence de clarté entre certaines photos.

AVANT-PROPOS

En cette fin de XXe siècle, le travail manuel a retrouvé ses lettres de noblesse. L'œuvre finie est appréciée pour le naturel et la qualité des matériaux utilisés et pour la beauté des gestes qui la font vivre. Des groupes se forment devant le compagnon ébéniste qui assujettit les pièces d'une marqueterie, devant le ciseleur à la main rapide et sûre ou le verrier, un peu magicien, qui fait naître, à l'extrémité de la pince, en un tournemain, un monde d'animaux translucides.

Cet attrait pour le travail manuel, parfois physiquement éprouvant, mais souvent paisible et proche de la nature, s'est emparé de nombreux jeunes. Au creux de vallées isolées, au cœur de villages jadis abandonnés qui ainsi renaissent, des artisans se regroupent : ici ou là, potiers, fileuses, ferronniers ou tisserands font survivre des gestes millénaires.

Gestes millénaires puisque le compagnonnage, association d'ouvriers exerçant une même profession, existait déjà dans l'Antiquité. On trouvait à l'époque romaine, dans la cité de Lutèce, une confrérie de marchands d'eau, parfois marchands d'eau chaude... cette boisson étant considérée alors comme hautement digestive ! Comment ne pas évoquer également la puissante confrérie des nautes, les bateliers du "Paris" gallo-romain.

Les siècles passèrent et l'on vit très tôt, sous le règne de Charlemagne en Allemagne, puis en Angleterre au XIIe siècle, se former de nombreuses ghildes. Ces sociétés, à but principalement caritatif et religieux, répartissaient les aumônes, (chacune était placée sous le patronage d'un saint dont elle prenait parfois le nom, tel Saint Éloi pour les orfèvres), elles assuraient aussi secours en cas d'incendie et avaient grand souci d'entraide. Avec ce que l'on a pu appeler la Renaissance des X et XIe siècles, le commerce prit un essor prodigieux, les marchands entreprirent de lointains voyages pour s'approvisionner et installèrent des comptoirs sur les routes des grands pèlerinages. La nécessité se fit alors sentir de mieux s'organiser entre gens de mêmes professions.

De nombreuses confréries se créent donc aussi en France, dès le XIIe siècle. Aussitôt formées, elles jouissent de certains privilèges... qu'elles ne peuvent d'ailleurs utiliser qu'en versant des taxes au clergé, au seigneur ou au roi. Ces associations conservent leur motivation d'origine : esprit de piété et de soutien mutuel, obsèques assurées gratuitement pour leurs membres, surtout s'il sont démunis, assistance aux vieillards, veuves et orphelins, parents des artisans. Les confréries prennent aussi l'habitude de se réunir, au cours de repas festifs qui tournent, le plus souvent, en beuveries gigantesques, au grand scandale du clergé !

De l'avènement de Philippe Auguste en 1180, jusqu'à la mort de St Louis en 1270, va s'écouler une période de grandeur royale et d'essor intellectuel et artistique qui favorisera le commerce et la créativité. Au cours du XIIIe siècle, l'expansion confirmera la nécessité de donner des statuts aux divers corps de métiers, au sein desquels rivalités et dissenssions croissantes créent un climat difficile. Vers 1269, Étienne Boileau, prévôt de Paris, consignera dans son Livre des Métiers les premiers règlements qui régiront les professions. Au XIVe siècle, ces statuts seront à peu près généralisés, les corporations seront nées. Organisées, enfermées dans des règles strictes, elles se feront connaître et reconnaître par de nombreuses manifestations publiques. C'est précisément le manque de caractère officiel des confréries les ayant précédées qui explique la rareté des documents à leur sujet.

Dans un certain nombre de villes où s'élevèrent des cathédrales, des corps de métiers se cotisèrent, au XIIIe siècle, pour offrir des vitraux, dont beaucoup ont d'ailleurs disparu, détruits par l'ignorance, le vandalisme, la Révolution ou les bombardements. Cette offrande était motivée par le grand élan de foi qui habitait le peuple, du plus humble sujet au plus grand. Elle s'explique aussi par la volonté du clergé de rappeler la valeur rédemptrice du travail en une époque où faire commerce était peu estimé des autres classes de la société. (Sur ce point l'esprit changea peu à peu et Calvin dira plus tard : *"Il n'y a œuvre si vile qui ne reluise devant Dieu..."*. Le dicton populaire renchérira : *"Il n'y a pas de sots métiers".*) Enfin, on a pensé, non sans malice, que les donateurs avaient ainsi espéré se faire un peu pardonner du clergé les fredaines et les agapes de leurs réunions !

Ces ouvriers et artisans éprouvèrent le désir bien légitime de signer concrètement les vitraux financés par eux. Ils se firent donc représenter dans l'exercice de leurs professions, en des scènes placées le plus souvent au bas des verrières. On trouvera encore parfois, quelques "signatures" dans des vitraux des XIVe et XVe siècles, tel ce charcutier, à Semur-en-Auxois, trônant derrière un étal garni de boudin et de jambon. Il faut cependant veiller à ne pas confondre les scènes montrant des donateurs avec celles où les verriers ont représenté des métiers au fil des saisons : semailles, vendanges, fenaison ; c'était là simple occasion de décrire la vie champêtre. Parfois aussi, pour les besoins de l'histoire racontée, un médaillon peut représenter des ouvriers au travail. C'est le cas, par exemple, dans le vitrail de Charlemagne (n° 14), où l'on assiste à la construction d'une église.

En 1194, un grand incendie ravagea l'église romane édifiée à Chartres au XIe siècle par l'évêque Fulbert. A l'ouest, la façade, embellissement du XIIe siècle, composée du Portail Royal, des trois verrières, des deux tours et du clocher sud, fut épargnée par le feu.

Dans un grand élan de foi, on reconstruisit la cathédrale en à peine trente ans, la dotant d'un ensemble de vitraux d'environ 2 500 m². Sur les cent soixante-seize verrières et roses qui éclairèrent le nouvel édifice, cent cinquante environ ont conservé aujourd'hui une majorité de verres d'origine, présentant un ensemble d'une homogénéité certainement unique au monde.

Cette reconstruction rapide ne fut possible que grâce aux dons divers qui affluèrent ; rois, reines, nobles, clergé et peuple unirent leurs efforts et leurs moyens pour relever le sanctuaire voué depuis des siècles à la Vierge. Parmi les donateurs qui financèrent les travaux, une trentaine de corps de métiers se cotisèrent pour offrir cinquante verrières à la nouvelle cathédrale. Ces vitraux, contrairement à ceux de bien des églises, ont traversé les siècles sans grands dommages. (Ils furent déposés au cours des deux dernières guerres et mis en lieu sûr.) Il est donc possible de découvrir la vie à l'aube du XIIIe siècle, en cent vingt-six scènes placées le plus souvent au bas de quarante-cinq verrières, cinq vitraux donnés par les confréries ayant disparu ou ayant été modifiés.

Les scènes situées dans les fenêtres hautes ne sont pas toujours aisées à lire, mais en parcourant les bas-côtés et le déambulatoire de la cathédrale, on peut, en imagination, pénétrer dans l'atelier ou l'échoppe, le cabaret ou le chantier de construction ; on peut découvrir des coutumes ou des métiers devenus rares aujourd'hui, constater, en revanche, que certains outils ou ustensiles sont toujours en usage au XXe siècle.

Tout ceci se déploie dans le flamboiement de l'art du vitrail à son apogée, art dans lequel il ne faut chercher aucune logique : qu'importe que le charpentier soit presque aussi grand que la maison sur laquelle il est grimpé, que la tour à créneaux soit de la même taille que son maçon ? Qu'importe que les chevaux soient bleus et rouges, que l'arbre ressemble à un artichaut ? Ce qui est source d'enchantement, c'est le génie avec lequel le verrier, par une couleur bien choisie, un objet mis en évidence, un détail plein d'humour, un geste précis saisi sur le vif, nous fait entrer dans le vitrail et rencontrer tout un petit peuple besogneux et plein de malice.

I - LES MÉTIERS DU BOIS

MENUISIERS - CHARPENTIERS - TOURNEURS - TONNELIERS

"Le Moyen-Age est le monde du bois..." a dit Jean Gimpel. Si l'on se penche quelque peu sur cet aspect de l'époque, on s'aperçoit qu'effectivement le bois était alors le matériau universel. Les charpentes et les menuiseries des maisons, le coffrage des voûtes, les bateaux, les chariots, les instruments aratoires, les ponts, les engins de guerre et de levage, les tonneaux, les meubles, et le "menu" dont parle, au XIIe siècle, Hugues de St Victor : outils, ustensiles de cuisine, tout était en bois. Enfin le bois était le principal combustible, alimentant les foyers domestiques, les forges, les fours de verriers...

Fendu d'abord à la hache, coupé à la scie manuelle, puis au XIIIe siècle à la scie hydraulique, façonné à l'herminette, tourné sur le métier à pédales, ce matériau essentiel allait bientôt manquer. Les paysans déboisaient pour cultiver les terres ainsi gagnées ; les maisons aux toits de chaume, aux murs de torchis, brûlaient dès que reconstruites ; les guerres détruisaient engins, bateaux et ponts... et la forêt s'appauvrissait dangereusement. Suger, abbé de St Denis, a raconté avec verve ses difficultés à trouver, pour la reconstruction de son abbaye, les 12 gros fûts qui étaient nécessaires.

Ce déboisement devint si inquiétant que des mesures furent prises, interdisant d'abattre de gros arbres. En 1198, Philippe-Auguste frappa de taxe sa sœur Alix qui avait fait prendre du bois dans une région où elle n'avait pas de droits. En 1215, un édit proclama que *"quiconque coupera un gros chêne, surtout si celui-ci porte des glands",* sera puni d'amende. On ira même jusqu'à limiter le ramassage du bois mort.

On cherchera alors des moyens d'économiser ce matériau et l'architecte Villard de Honnecourt inventera, au début du XIIIe siècle, des procédés pour construire des ponts et des planchers de maisons avec des pièces de bois courtes, astucieusement assemblées. Il est intéressant de constater que l'usage de la pierre s'est répandu plus tôt et plus vite dans les régions où le bois était rare.

Les menuisiers, charpentiers, tonneliers ne formèrent souvent, jusqu'au XIVe siècle, qu'un seul corps de métier aux très nombreux membres. Lorsque l'on voûta de pierre les églises et que l'on perçut le rôle essentiel du coffrage et de la charpente, les maîtres-charpentiers furent alors distingués du commun de leurs compagnons. Si leur œuvre est moins évidente que celle des ouvriers de la pierre, ils doivent être pourtant associés à l'hommage rendu aux bâtisseurs, tout particulièrement au génie de ceux qui passèrent du roman au gothique.

Depuis les Grecs et les Romains jusqu'à la fin de l'époque romane, les charpentes furent conçues à peu près de la même façon : de grandes pièces de bois - les fermes - reliées entre elles et confortées par des morceaux plus petits, permettaient de franchir une portée qu'un seul élément n'eut pu réaliser ; des chevrons recevaient ensuite la toiture, plomb, ardoises, pierre... dont la poussée reposait sur quelques points forts.

Lors du passage de la voûte en plein cintre romane à la croisée d'ogives sexpartite puis quadripartite (ou barlongue), les artisans du bois contribuèrent, par de nouvelles techniques, à rendre possible ce qui demandait beaucoup d'audace. Ils firent preuve d'ingéniosité, fixant bout à bout ou réunissant par quatre de courtes pièces de faible section ; puis ils innovèrent, concevant des charpentes dont la poussée était répartie uniformément. (Si les arcs-boutants jouèrent un rôle essentiel dans l'équilibre de la pierre, ils évitèrent aussi l'éventuel glissement des toitures lorsque, comme à Chartres, le maître-d'œuvre pensa, simultanément aux deux autres étages, le troisième arc qui vient conforter la base du plus grand toit, à la gigantesque charpente, jamais construit jusqu'alors.) Une fois posées, ces charpentes et leur couverture de plomb servaient de protection au chantier, tel un "immense parapluie", comme le dit Marcel Aubert.

La magnifique charpente de la cathédrale, baptisée comme d'autres "la forêt" en raison du nombre et de l'enchevêtrement de ses poutres, brûla en 1836 et fut remplacée par un bel ouvrage métallique.

Quelques noms rappellent encore dans Chartres, les lieux où travaillaient les ouvriers du bois : la rue de la Tonnellerie et la rue du Bois-Merrain, ce bois de chêne utilisé en menues planches pour la fabrication des tonneaux. Il faut aussi évoquer le cellier de Loëns (voir chap. VII) pour en admirer l'imposante charpente. Elle fut remarquablement restaurée en 1974 par un artisan régional qui sut préserver le maximum de bois d'origine, en particulier des entraits,

magnifiques poutres transversales dont certaines sont sculptées d'un buste d'angelot et d'angoulants, ces têtes grotesques ou monstrueuses si représentatives de l'art roman et du gothique naissant.

CHARPENTIERS, MENUISIERS, TONNELIERS, TOURNEURS dans les vitraux.

N° 19. Saint Julien l'Hospitalier (1.2.3). (Photo).

Selon la légende, Saint Julien avait construit, avec l'aide de son épouse, un hospice pour accueillir les voyageurs ; les charpentiers ont voulu lui rendre hommage.

Dans le médaillon de gauche, un ouvrier est debout sur la charpente d'une maison dont on distingue les détails d'architecture : murs en colombage et portes rouges géminées formant porche. Au sol, son compagnon, debout derrière un établi chargé d'outils, semble lui parler en lui tendant un outil.

A l'extrême droite, tournant le dos au charron qui façonne une énorme roue jaune avec une herminette, un tonnelier, ceint d'un tablier de cuir, cercle son tonneau à l'aide d'un maillet. (On trouve dans les vitraux de la cathédrale de Bourges, contemporains de ceux de Chartres, et en étroite parenté avec ceux-ci, une scène absolument identique ; simplement, les personnages ont échangé leur place.) Dans la scène centrale, située un peu au-dessus, deux menuisiers sont absorbés par leur travail, penchés sur les établis, rabots en mains. Au mur sont accrochés divers outils dont, au centre, une scie jaune absolument semblable à celles encore utilisées de nos jours.

N° 19. Les menuisiers.

N° 25. Noé (2.4.5). (Photos).

Noé, constructeur de l'arche, est honoré ici par les ouvriers du bois. Dans les carrés des angles de la bordure, un tonnelier cercle un tonneau - on le retrouve dans le quart de cercle de droite, un peu plus grand - et deux hommes portent des outils. (Nous rencontrerons les charrons dans les métiers du fer, chap. III).

Dans le triangle central, deux charpentiers, hache en main, équarrissent une poutre posée sur des tréteaux. On peut remarquer que la pièce de bois n'a pas encore été débarrassée, à droite, de son écorce verte.

N° 29. Saint Calétric. (Photo).

Dans cette scène, bien éclairée le matin, on peut voir un tourneur sur bois, assis derrière le tour, dont les moindres détails sont représentés. L'homme tient aux extrémités la pièce de bois qu'il façonne ; on distingue parfaitement la corde, partant du pédalier, reliée au plafond par un système astucieux permettant le va-et-vient qui actionne le tour.

N° 30. Moïse et Saint Barthélémy.

Cette fenêtre, à demi-cachée par les orgues, présente également un tourneur sur bois.

N° 25. Les charpentiers-menuisiers.

N° 25. Un tonnelier.

N° 29. Un tourneur derrière son métier.

II - LES MÉTIERS DE BOUCHE

BOUCHERS - BOULANGERS - ÉPICIERS - MARCHANDS DE POISSON

LES BOUCHERS

Le commerce de boucherie fut considéré jusqu'au XIIe siècle comme métier de luxe. A l'approche du XIIIe siècle, la population augmentant, ainsi que les facilités de vie et le pouvoir d'achat, le peuple consomma davantage de viande.

L'élevage le plus répandu était celui du porc, vite engraissé, rustique, se contentant de maigre nourriture, en premier lieu celle que lui offrait la nature, les glands. L'image du paysan gaulant le chêne et de son porc velu se repaissant innocemment, sans se douter que l'attend le saloir, est devenue le symbole des mois d'octobre ou de novembre dans bien des "calendriers" nous montrant les travaux des mois, sculptés aux portails des cathédrales (voir chap. 5 - Les laboureurs).

On élevait aussi des moutons, prolifiques, vite adultes et de nature frugale. Le gros bétail était plus rare, cher à acquérir, usant beaucoup de foin et de fourrage, friand de l'avoine que l'on préférait réserver aux chevaux si utiles pour tous les travaux et les transports. Les bœufs, puissants et capables de tracter de lourdes charges en tous terrains, étaient soignés avec amour ; quant aux vaches, précieuses pour leur lait, elles vieillissaient tant qu'elles étaient laitières. Bien entendu, autour de chaque ferme, dans chaque basse-cour de château, s'affairaient nombre de volailles.

Les bouchers étaient ainsi nommés plaisamment parce que, avec toutes viandes, ils vendaient parfois du bouc, à la chair peu estimée. On les différenciait des "poulailliers", marchands de volaille, et des "chaircuitiers", marchands de chair cuite, de pâtés, de saucisses, les traiteurs de l'époque. Le métier demandait quatre années d'apprentissage. Il se transmettait de père en fils, et les bouchers n'étaient pas peu fiers de tenir leur privilège de Louis VI, ce qui est confirmé par des lettres patentes de Philippe Auguste.

A Chartres, les étals de pierre et de bois des bouchers devinrent, comme dans les autres villes, étonnamment nombreux *"jusqu'à emplir, côte à côte, trois rues entières..."*. Les vieux quartiers offrent encore, de nos jours, des noms de rues évocateurs : rue du Massacre, où se trouvait l'abattoir, rue des Bouchers, impasse de la Moutonnerie. D'autres ont disparu : la rue Moutonnière, par où les troupeaux, traversant la ville, se rendaient à la rivière pour s'abreuver, et celle au nom sonore du Cul-Salé. Cette appellation viendrait d'un grenier à sel, construit là où se trouve actuellement le Crédit Municipal, place du Cygne. On sait l'importance du sel dans la conservation des aliments, tout particulièrement de la viande et du poisson.

Les conditions d'hygiène nous laissent, à ce propos, pour le moins perplexes. E. de Lépinois parle de *"hideuses échoppes... on abattait les bêtes dans la ville même, parfois au domicile des bouchers et on jetait sang, poils et déchets à la rivière... infectant une fontaine où le peuple puise l'eau"*. Ce fut tel qu'en 1102, les chanoines de la cathédrale supplièrent Adèle, comtesse de Chartres, de faire démolir un grand étal dont les eaux diverses se déversaient dans leur grenier ! Des épidémies s'en suivaient, dont plusieurs fois la peste. Des édits exigeront bientôt qu'abattoirs (et tanneries, voir chap. VI) soient installés hors de la ville et en aval de celle-ci, mais les bouchers se résigneront de très mauvaise grâce, trouvant cette mesure fort incommode !

Si cette confrérie jouissait de quelques privilèges, comme d'être propriétaire de ses étals, elle devait aussi se plier à des règles stricte : interdiction de vendre de la viande le vendredi et pendant le carême (ces jours-là, autorisation était donnée de proposer légumes et harengs !) et soumission à des redevances au comte de Chartres. Le plus grand souci des bouchers était, paraît-il, de réussir à se faire payer leurs marchandises par les chanoines de la cathédrale qui avaient pris la regrettable habitude d'acheter la viande à crédit. Le cartulaire de Notre-Dame rapporte qu'ils y parvinrent rarement !

LES BOUCHERS dans les vitraux.

N° 5. Miracles de Notre-Dame (1.2.3). (Photo).

Dans le très petit quart de cercle inférieur gauche, un boucher découpe une pièce de viande pendue au mur. A l'extrême droite, un homme assomme un porc avec une hache.

La scène centrale montre l'étal du boucher, planche et tréteaux, sur lequel sont représentées différentes pièces de viande, une tête de veau et un morceau de bœuf bien rouge. Un animal exsangue est pendu préparé pour le découpage. Le client, à gauche, désigne ce qu'il désire tandis que le commis observe la scène... ou apprend le métier !

N° 37. Ezéchiel - David. (Photo).

Dans une scène pleine de mouvement, le boucher brandit une hache, prêt à assommer un bœuf entravé, les yeux couverts d'un bandeau rouge. Un animal éventré est suspendu en haut, à droite, tandis qu'un petit chien blanc, assis, attend sagement qu'on lui offre un menu morceau.

N° 5. Les bouchers.

N° 37. Les bouchers.

LES BOULANGERS

Le beau, le chaleureux métier ! Ne dit-on pas : *"Bon comme le pain"* ? Au fil des ans, il a laissé bien des souvenirs, contrairement à certaines professions dont l'histoire est tombée plus ou moins dans l'oubli.

Chez les Hébreux, Lehem signifiait La Nourriture par excellence et aussi le pain. (Bethléem, la ville où naquit Jésus, signifie "la ville du pain".) Consommé par les Égyptiens - la Bible parle du Grand Panetier de Pharaon - le pain fut aussi apprécié par les Grecs puis par les Romains. Essentiel à l'alimentation, il a été utilisé rituellement, avec le vin, comme élément d'offrande aux dieux. Vesta, déesse du foyer domestique devint patronne des boulangers romains. Saint Honoré lui succédera plus tard, ayant aussi sous sa protection les pâtissiers. (Un miracle est à l'origine de cet honneur. La légende raconte, en effet, que le jour où ce saint fut sacré évêque, sa nourrice, qui cuisait le pain, eût la surprise de voir le "fourgon", c'est-à-dire la longue tige métallique crochue qui lui servait à déplacer les bûches, s'enflammer et se transformer en un bouquet de palmes.)

A Rome, sous Auguste, on comptait, dit-on, trois cents boulangeries. Le pain fabriqué alors était bien différent de celui que nous aimons, doré, croustillant, gonflé à souhait. Les Romains, après avoir consommé d'abord les grains des céréales, comme le firent les peuples qui précédèrent, confectionnèrent des galettes à la pâte desquelles ils eurent l'idée d'ajouter, progressivement, du miel, des épices, du vin, du citron. Le hasard du mélange d'un reste de pâte acidifiée à de la pâte fraîche produisit, un jour, le levain.

Au Moyen-Age, le pain resta l'aliment essentiel pour le peuple. Il servait d'assiette aux gens aisés qui jetaient ensuite aux chiens les larges tranches imprégnées du jus des viandes. Bien des ménagères et les communautés monastiques fabriquèrent leur pain, jusqu'au XVIe siècle, mais leur concurrence était minime pour les tameleliers (ainsi nommés parce qu'ils utilisaient des tamis), qui demeuraient fort nombreux. Contrairement à certaines idées reçues, les boulangers, dont les pains se présentèrent longtemps sous forme de boules, offraient à leur clientèle un choix assez vaste. Ils employaient farines de froment, d'orge, d'avoine, de seigle, d'épeautre ou de méteil et ces produits, diversement parfumés, de qualité plus ou moins raffinée, étaient achetés selon les moyens des différentes classes de la société.

Les meuniers ne sont pas représentés dans les vitraux de Chartres, mais ne méritent-ils pas d'être évoqués ici, ces artisans liés étroitement par leur profession à celle des boulangers ?

Dans le haut Moyen-Age, le travail de meunerie était fort dur, car pour obtenir la farine, il fallait tourner la meule à la main. Ceux qui exerçaient cette tâche n'étaient guère estimés. On imagine le progrès qu'apportèrent le moulin à cheval, puis le moulin à eau, enfin le moulin à vent. De ces derniers, on aperçoit parfois, au tournant d'une route, la silhouette épargnée par le temps et soignée par les hommes. En effet, l'Association des Amis des Moulins de Beauce restaure et organise la visite des vingt et un moulins qui sont les seuls survivants, dans cette région, des centaines de moulins d'antan.

Le sexe faible participait activement aux travaux de meunerie : sous Dagobert II, au VIIe siècle, les textes évoquent les "boulangeries babillardes" et dans les enquêtes ordonnées par Saint Louis, est citée "une femme meunière...". Le moulin, comme le lavoir ou l'étuve, était lieu de rencontres et d'échanges, de détente aussi, entre deux travaux souvent pénibles. Le roman, la poésie et la chanson se sont souvent emparés de ce sujet. Une certaine méfiance régna longtemps envers les pauvres meuniers : allaient-ils rendre en farine la juste équivalence de la quantité de blé ? Et l'on disait : *"Hardi comme la chemise d'un meunier".*

La bonne réputation du grain de Beauce remonte fort loin. Lutèce avait baptisé son marché aux céréales "Halles de Beausse" et une rivalité féroce naquit entre les boulangers parisiens et provinciaux, les premiers étant jaloux de la renommée des seconds ! A Chartres, les boulangers avaient une halle particulière. Ils louaient ce "Palais des Noces", au chapitre de la cathédrale, qui y avait fait construire un four. Une allée étroite séparait deux rangées de neuf et six étals. Six autres tables étaient disséminées dans la halle. Certains artisans ouvraient aussi boutique dans un local attenant à leur maison. Le pain était alors vendu à la fenêtre du fournil, agencée comme une sorte de vitrine.

La municipalité veillait sévèrement à l'hygiène des lieux, le voisinage de deux poissonneries devant cependant contribuer à compliquer quelque peu les choses ! L'élevage de porcs, qui s'engraissaient en mangeant les *"brans et autres déchets"*, et qui vaguaient dans les ruelles, en toute liberté, entraînera une législation limitant le nombre de bêtes autorisé pour chaque boulanger. Législation fort mal acceptée, comme l'était toute entrave à la liberté des citadins que ne motivait pas encore l'écologie...

Le goût est revenu, aujourd'hui, de consommer des pains au son, au seigle, aux farines complètes et rustiques. Autrefois, le pain blanc était signe d'opulence et de raffinement. Ainsi l'on cuisait, à Cluny deux sortes de pain : l'un pour les jours ordinaires, l'autre pour les jours de fête. On sait aussi qu'au XIIIe siècle, le charpentier de Notre-Dame de Chartres, au métier noble, ne recevait que du pain blanc alors que le petit personnel attaché au service de la cathédrale "closier et portière" n'avait droit que le dimanche à une maigre ration de cette gourmandise. On comprend l'origine du dicton qui évoque la plus regrettable imprévoyance : *"Manger son pain blanc en premier".*

LES BOULANGERS-PATISSIERS dans les vitraux.

Nº 12. Histoire des Apôtres (1.2.3). (Photos).

Dans la scène inférieure gauche, le verrier nous fait pénétrer dans le fournil. Le boulanger est penché sur le pétrin, travaillant la pâte à plein bras ; un mitron apporte de l'eau. Au mur, sont accrochés des sacs enroulés sur une traverse, tandis que le chaudron bout, pendu à la crémaillère, chauffé par un feu rougeoyant.

Au centre, dans la boutique, les pains sont présentés dans une grande corbeille, posée au pied de la table. Un client reçoit une boule de pain, en échange de la pièce de monnaie qu'il présente.

A droite, trois hommes façonnent des pains que deux commis empilent soigneusement avant la cuisson.

Nº 26. Saint Jacques le Majeur.

Le boulanger tient un moule à gaufre rond. Sur la table, il a préparé un récipient contenant la pâte, d'où émerge le manche d'une longue cuillère. Deux mitrons se tiennent près de la porte, hotte sur l'épaule emplie de pains, ils s'apprêtent à livrer la marchandise.

Nº 12. Les boulangers. La fabrication du pain.

N° 27. Saint-Pierre.

Deux hommes, en une scène très coutumière, échangent un pain contre une pièce de monnaie.

N° 34. Moïse-Isaïe.

Les boulangers sont représentés au bas du vitrail. Le client, par dessus une grande corbeille jaune emplie de pains, tend une pièce au boulanger qui offre la miche en échange.

N° 35. Vitrail de la Vierge. (Photo).

Comme les changeurs (voir chap. VIII), les boulangers ont offert cinq vitraux à la cathédrale. Ce sont les donations les plus importantes faites par des confréries.

Les tonalités douces et lumineuses des verres qui composent cette verrière contrastent habilement avec le bleu saphir et le rouge intense des fenêtres voisines. La clarté qui résulte rappelle que le chœur de l'église est orienté vers l'est, vers le soleil levant. Pour les chrétiens, Jésus est la Lumière du Monde, qui vient dans l'Eucharistie. A l'extérieur, vers l'est, s'étend la plaine de Beauce, féconde en blé, ce blé qui, devenant pain consacré, sera le corps du Christ.

Deux hommes portent une immense corbeille dorée, emplie de pains ronds. Ils tiennent en main des bâtons fourchus qui permettront, plantés en terre, de soutenir les brancards passant dans les anses du panier.

N° 35. Les boulangers. La livraison.

N° 12. Les boulangers. Scène de vente.

N° 21. Un épicier.

LES ÉPICIERS

Les épices ont été appréciées par l'homme dès l'Antiquité ; cinq siècles avant Jésus-Christ, Hérodote vantait déjà leurs vertus digestives et gustatives ; Pline et Gallien citèrent muscade et gingembre comme condiments culinaires. Ces produits étaient alors importés à Rome, de Chine et d'Asie, par des voies difficiles et périlleuses.

La véritable passion du Moyen-Age pour les épices s'explique, en partie, par la nécessité de masquer le goût un peu fort de certaines denrées ayant subi un problème de conservation : on se souvient des conditions d'hygiène des boucheries ! On aimait alors beaucoup les pâtés et les tartes, préparés avec toutes sortes de viandes, mêlées de mie de pain pilée et de sauces relevées de quantités d'ingrédients : persil, sauge, hysope, et surtout d'épices, auxquelles, outre leur apport parfumé, on attribuait des vertus. Le "vin de pygment" enrichi de miel était une boisson stimulante qui servait de base aux philtres d'amour.

La branche la plus aisée des épiciers était celle des "piperarii", les poivriers, marchands de cette épice si onéreuse qu'elle servit parfois de monnaie d'échange, réglant taxes ou rançons de serfs. Au XIVe siècle, les Vénitiens, grands navigateurs, en auront pratiquement le monopole, et l'on dira : *"cher comme poivre"*, bien que Marco Polo ait affirmé avoir vu exploiter cette épice à profusion, *"chargée sur les nefs en vrac, comme on charge chez nous le froment"...*

Les épiciers vendaient aussi le sucre, qui fut longtemps denrée de luxe, et que l'on appelait sel indien, la cannelle, le safran, l'anis, le cumin, la girofle, la cinamone, ainsi que ce que l'on nommerait, de nos jours, la confiserie et l'épicerie fine : dragées, fruits secs et confits, miel, hydromel... Car le Moyen-Age était gourmand et se régalait de crêpes, de beignets fourrés de fleurs de sureau arrosés de sirop de sucre et de miel, et de fouaces, sortes de puddings aux œufs.

Moins raffinés, les "regratiers" fournissaient les œufs et le fromage, qui entraient dans la composition de multiples recettes, et "l'aigrun", c'est-à-dire les légumes. Choux, épinards, courges, fèves et pois bouillis formaient avec le pain la base de l'alimentation (le potiron, la tomate et la pomme de terre ne furent importés d'Amérique que plus tardivement). Enfin, les regratiers vendaient aussi le sel, qui ne devint rare et cher qu'au XIVe siècle, lorsqu'il fut soumis à la gabelle. Cet impôt, ancien, n'est devenu en effet permanent que sous Philippe le Bel.

De nombreux documents nous sont parvenus, représentant les diverses classes de la société goûtant, suivant leurs moyens, les plaisirs de la table. Poissons variés, gibiers somptueusement dressés, pâtisseries mielleuses, dragées et douceurs, évoquent une cuisine abondante, parfois recherchée. Notre goût et notre odorat sont alors agréablement chatouillés à la vue de ces miniatures d'où monte le parfum incomparable des épices.

LES ÉPICIERS dans les vitraux.

N° 21. Saint Nicolas (3). (Photo).

Les épiciers partagent la signature avec les merciers et les apothicaires. (Les petits personnages dans les angles sont peut-être des portefaix. Un même dessin a servi à réaliser les deux hommes, le second panneau est posé côté peint à l'extérieur. Voir chap. VIII.)

Dans le quart de cercle de gauche, l'épicier présente une ceinture, ce qui montrera, en découvrant les merciers représentés dans le même vitrail, combien ces métiers étaient parfois indissociables. La table est garnie de corbeilles évasées emplies de grains ou de fruits aux tons verts et rougeâtres.

LES MARCHANDS DE POISSON

L'homme s'est nourri des produits de la chasse, de la terre et de la pêche depuis les temps les plus reculés. D'instinct, il a su transformer en aliments de plus en plus élaborés ce que la nature lui donnait ; parmi ces richesses, le poisson qui pullulait dans les mers, les rivières et les étangs.

La viande, plus consistante, plus chaleureuse, avait la préférence du Moyen-Age ; s'en priver était donc la pénitence par excellence... et l'on mangeait du poisson le vendredi, parfois le samedi, aux veilles de fêtes, aux quatre changements de saison et pendant les quarante jours du carême.

Poissons de mer et de rivière furent d'abord consommés dans les régions mêmes où ils étaient pêchés, puis les transports devenant plus aisés, les mareyeurs livrèrent leur marchandise des diverses côtes jusque dans les villes de l'intérieur, ceci sous certaines conditions d'hygiène et de fraîcheur, méritoires sans doute, mais qui nous semblent quelque peu insuffisantes !

On vendait alors toutes les variétés de poissons et de cétacés, certains considérés maintenant comme raffinés ou rares, tels le saumon ou l'esturgeon, d'autres inattendus sur nos tables actuelles, telle la baleine... On utilisait le salage ou le séchage au soleil pour la conservation. Ces procédés permettaient de garder des réserves pendant parfois dix ans : on imagine la difficulté à cuisiner ensuite de telles "conserves"...

Si la plupart des recettes de cuisine, assez rares, qui sont parvenues jusqu'à nous, semblent banales, le poisson était généralement bouilli ou frit, il en est qui surprendraient peut-être notre goût, tel ce "marsouin en potaige", ou ce "ragoût de baleine" qu'il est conseillé de cuire découpée en très petits morceaux... en toute logique !

Certains usages sont, à nos yeux, difficiles à expliquer. Ainsi il est recommandé de consommer de préférence des poissons ronds l'hiver et des poissons plats, l'été : ces derniers, de petit volume, souffraient peut-être moins des inconvénients dus à la chaleur ?

N° 6. Les marchands de poisson. La livraison.

A Chartres, comme partout ailleurs, les marchands de poisson virent longtemps leur négoce confondu avec celui des bouchers et des regratiers (voir dans ce chapitre les bouchers et épiciers). Le poisson d'eau douce provenait des étangs proches du Perche ainsi que des rivières locales, l'Eure et le Loir ; le poisson de mer était apporté par les mareyeurs normands ; peu onéreux, il abondait sur les étals regroupés des rues de la Petite Poissonnerie d'Eau Douce, de la Poissonnerie de Mer, et dans les boutiques de la galerie édifiée sous les murs du château.

N° 6. Les marchands de poisson. La vente.

On peut admirer, sur l'actuelle place de la Poissonnerie, une très belle et importante maison construite au XVe siècle, dont l'une des consoles de la façade est ornée, parmi d'autres sculptures, d'un énorme saumon qui donna son nom à l'édifice.

En 1164, Thibaut V, comte de Chartres, avait donné aux poissonniers l'exclusivité de la vente du poisson, moyennant, bien sûr, une redevance et l'engagement d'entretenir perpétuellement une lampe dans la chapelle de l'Aumône Notre-Dame, l'Hôtel-Dieu. L'histoire ne dit pas si cette lampe était alimentée avec de l'huile de baleine !

LES MARCHANDS DE POISSON *dans les vitraux.*
N° 6. Saint Antoine et saint Paul, ermite (1.2). (Photo).

Dans l'angle gauche, un poissonnier est assis sur sa charrette dont le brancard repose à terre. Un petit parasol replié est installé à l'arrière, accessoire indispensable pour protéger la marchandise du soleil. (On trouve, dans les vitraux de Rouen, une scène identique.) Le marchand tient un poisson dans sa main gauche levée. A terre, un compagnon décharge un panier empli de gros poissons, l'autre commis a enfilé trois petits poissons sur une baguette.

Dans la scène de droite, le marchand, au centre, présente un poisson, semble-t-il une raie, à des clients volubiles. Un garçonnet paraît vouloir attirer l'attention de l'un d'eux sur le contenu de son petit panier !

Trois corbeilles, servant à transporter la marchandise, ont longtemps contribué à la mauvaise interprétation de cette signature que l'on attribuait, à tort, aux vanniers.

Les forgerons.

III - LES MÉTIERS DU FER

ARMURIERS - FORGERONS - CHARRONS - MARÉCHAUX-FERRANTS

L'une des subdivisions de la Préhistoire, époque au cours de laquelle l'homme commença à utiliser des outils de métal, est appelée l'Age du Fer ; on estime que la métallurgie fut inventée environ 7 000 ans avant Jésus-Christ. De nombreux objets élaborés alors : épées, mors de chevaux, bijoux, montrent combien l'emploi du fer était déjà important et varié.

Si le bois resta longtemps le matériau économique, facilement exploitable, transportable et transformable, le métal fut vite indispensable à l'homme, ne serait-ce que pour la fabrication des outils nécessaires aux différents métiers. Le Moyen-Age fit grand usage du fer, et les frais de forge pesèrent parfois très lourd dans les dépenses des chantiers, exigeant jusqu'à 10 % des sommes investies, frais auxquels il fallait ajouter le prix élevé du minerai. Il prit grande valeur aux yeux des hommes et, au XIIIe siècle, le moine Barthélemy le considérait *"plus utile que l'or"*. Au début de ce siècle, les ouvriers du fer étaient donc fort nombreux et se regroupaient en différentes catégories. L'une de ces confréries comprenait les armuriers, les forgerons, les charrons et les maréchaux-ferrants qui, tous ensemble, portaient le nom de fèvres. La confrérie des maignans regroupait les chaudronniers, une autre les fourbisseurs et les serruriers. Enfin, les artisans qui forgeaient les instruments agraires portaient le noble titre de *"Maîtres des Œuvres Noires"*. Tous ces hommes jouissaient d'un grand prestige, leur travail était impressionnant et estimé, descendants qu'ils étaient de Vulcain, dieu romain, maître des forges sombres établies sous l'Étna, où rougeoyait en permanence le métal en fusion.

En un temps où il fallait sans cesse équiper chevaliers et chevaux, les armuriers étaient fort nombreux et se subdivisaient, suivant leur spécialisation, en heaumiers, haubertiers, écussiers, brigandiniers, selon les diverses pièces, ou éventuellement l'armure complète, qu'ils exécutaient. Notker de St-Gall, décrivant Charlemagne luttant contre les Lombards, nous donne une image impressionnante d'un guerrier de l'époque : *"Il semblait un homme de fer : un casque de fer couvrait sa tête, des manches de fer couvraient ses bras, une cuirasse de fer protégeait sa poitrine et ses larges épaules, une lance de fer était dans sa main droite. Devant lui, autour de lui, derrière lui, tous avaient la même armure... les rayons du soleil étaient reflétés par le fer. Une clameur confuse monta de la ville : - Que de fer, hélas, que de fer !"*

Ce n'est qu'au début du IXe siècle qu'est apparue, en France, la profession de maréchal-ferrant. Les romains avaient bien eu l'idée de chausser les chevaux de sandales de cuir et de corde, trop vite usées, puis de sandales de fer, fixées par des fils de métal... pauvres chevaux ! Mais le véritable fer à cheval aurait été inventé par des nomades sibériens qui firent découvrir cette innovation, ô combien importante, à Byzance. Ce puissant empire légua, à son tour, ce progrès à l'Occident, comme il le fit en tant d'autres domaines au cours des nombreux siècles au cours desquels il rayonna.

Il est difficile d'imaginer le sol de la calme plaine de Beauce, brun, vert ou blond selon les saisons, livré à l'activité bruyante de l'extraction minière. Pourtant on découvrit du fer, au Moyen-Age, en diverses parties de la région. Un texte signale un gisement vers Oinville et un poème, écrit à l'occasion de la reconstruction de la cathédrale, après 1194, cite : *"Fer et plomb, extraits de minières, et métal de toutes manières".*

Les moines ayant pour règle de suffire à tous leurs besoins, la très puissante abbaye de Thiron possédait une forge, dont elle installa une "succursale" à Chartres, en 1117, dans la rue des Forgerons. Le nom de l'un des artisans d'alors, Oénard, est parvenu jusqu'à nous, et plusieurs rues chartraines nous rappellent les ouvriers du fer, telle la rue de la Clouterie qui s'appela jusqu'au XVIIIe siècle la rue aux Fèvres. La rue des Lisses, de façon moins directe, évoquant les poteaux de bois auxquels on attachait les chevaux près du marché qui leur était réservé, nous conduit à penser aux maréchaux-ferrants dont les forges étaient, tout naturellement, installées dans ce quartier.

A Chartres, comme ailleurs, un certain nombre de fèvres s'orientèrent vers le travail des métaux précieux, ils devinrent "or-fèvres", fabriquant bijoux et objets d'art. Le pélerinage prenant de l'importance, ils se spécialisèrent dans les ex-voto à "Nostre-Dame Marie".

Il semble que la qualité du travail exécuté par les armuriers chartrains ait été fort estimée au loin, puisque lors du sac de Béziers, en 1209, pendant la guerre des Albigeois, un chroniqueur de l'époque rapporte : *"Tout brûle, maints heaumes qui avaient été faits à Chartres"*...

Aujourd'hui les forges ont disparu et les beaucerons, conquis par les machines, n'ont plus guère de chevaux. Les maréchaux-ferrants se font rares dans la région et le dernier représentant chartrain de la profession, qui était installé place de la Porte-Morard, a cessé son activité voilà quelques quinze ans.

N° 1. Les armuriers.

LES ARMURIERS - CHARRONS - MARÉCHAUX FERRANTS *dans les vitraux.*

N° 1. Saint Jean l'Évangéliste (1.3). (Photo).

Dans le médaillon inférieur gauche, deux hommes sont assis. L'un, marteau et ciseau en main, martèle un objet, l'autre décore un bouclier, à l'aide d'une sorte de stylet.

Dans la scène de droite, deux armuriers travaillent, postés de part et d'autre de l'enclume, près d'une hotte jaune. L'homme de droite lime un étrier ; son camarade, debout, en forge un autre qu'il maintient à l'aide de pinces. On peut noter la forme triangulaire de ces étriers, particulière à l'époque, ainsi que le dessin, évoquant une hache, des fers qui sertissent les panneaux de ce vitrail ; coïncidence ou volonté du verrier ?

N° 19. Saint Julien l'Hospitalier (3).

Cette signature est particulièrement consacrée aux métiers du bois (voir chap. 1), mais on peut aussi découvrir, dans la scène inférieure droite, un charron tournant le dos à un tonnelier. Il façonne une énorme roue jaune, à l'aide d'une herminette.

N° 25. Noé (3). (Photo).

Comme dans le vitrail n° 19, les charrons sont ici associés aux menuisiers. Ils sont représentés dans le quart de cercle inférieur gauche, le thème est le même, l'ouvrier fabrique une grande roue.

N° 20. La Rédemption (1.2.3). (Photo).

Dans le carré gauche, au bas de la verrière, deux hommes alimentent un foyer en y vidant des sacs de combustible.

N° 25. Un charron.

Dans la scène centrale, trois maréchaux s'affairent autour d'un cheval immobilisé dans un "travail", appareil permettant de soigner sans difficulté les grands animaux domestiques. Les hommes de gauche et de droite maintiennent fermement l'animal par la bride et par une jambe arrière, tandis qu'au centre un maréchal rogne le sabot avant la pose du fer.

Dans l'angle droit, la forge rougeoie et deux artisans, en un geste alterné très bien observé, battent le fer sur l'enclume. On distingue parfaitement la pince qui maintient l'objet rougi par le feu.

N° 20. Les maréchaux-ferrants.

IV - LES MÉTIERS DE LA PIERRE

MAÇONS - TAILLEURS DE PIERRE - SCULPTEURS (MAÎTRES YMAGIERS)

Lorsque l'on contemple la sereine beauté de la statuaire des neuf portails de la cathédrale de Chartres, lorsque l'on est saisi, en pénétrant dans la nef, par la majesté et l'équilibre de ses proportions, lorsque l'on sait quel génie inventif fût déployé pour oser ce style nouveau d'élévation, on se dit que s'il est des hommes à qui il faut rendre hommage dans cet édifice, se sont bien ceux qui l'ont construit et paré : les maçons.

Il faut savoir que si le mot maçon évoque, au XXᵉ siècle, une spécialisation très précise parmi les métiers du bâtiment, ce terme désignait globalement, au Moyen-Age, les tailleurs de pierre, les poseurs, les plâtriers, les mortelliers et les imagiers, c'est-à-dire, les sculpteurs.

Ces hommes, qui prétendaient tenir leur charge de Salomon, bâtisseur du Temple, et leurs privilèges de Charles Martel, jouirent d'un rare prestige, dès que l'on commença à utiliser moins de bois et davantage de pierre. Plus que pour tout autre corps de métier manuel, réalités et légendes se mêlèrent. Si le bon sens laisse penser qu'ils n'étaient pas, comme on le croyait, détenteurs de secrets aux origines mystérieuses, il est sûr qu'ils étaient légitimement désireux de préserver leurs connaissances et les progrès techniques acquis au fil de l'expérience. N'en n'est-il pas ainsi, de nos jours, dans certaines professions ? Plus tard, compagnonnage et franc-maçonnerie donneront à ce métier une aura définitive de mystère.

Il paraît, en tous cas, bien normal que la construction des premiers édifices de pierre, les abbayes, ait laissé le bon peuple émerveillé et il chantera : *"il faut que leur devoir soit bien mystérieux, aussitôt qu'ils sont morts, ils s'en vont droit aux cieux".*

Cette sorte de pouvoir permit très vite aux maçons de profiter de certains avantages : recevoir double portion de viande, avoir droit de grève, celui de refuser un salaire trop médiocre, de choisir les chantiers, d'être enfin exemptés de guet ! Mais étant nombreux et "reconnus", ils furent aussi les premiers à être soumis à des statuts : dès 1258, Étienne Boileau, prévôt de Paris, imposera des règles strictes, exigeant une rigoureuse observance de la qualité du travail, l'obligation de promettre, sur la foi, le respect d'une vie honnête, d'une conduite morale et d'une bonne entente entre "confrères", toute rixe étant sévèrement punie.

Itinérants par obligation, allant d'un chantier fini à un autre commençant, ils laissèrent parfois leurs signatures, mais toujours la trace de leur "facture", cette originalité d'une équipe, cette empreinte de son style propre, due bien souvent à la région de sa formation professionnelle, ainsi la Bourgogne et le Languedoc, qui furent pépinières de sculpteurs.

Le métier était rude : il fallait extraire la pierre, puis l'épanneler, c'est-à-dire la dégrossir, sur la carrière afin d'alléger les blocs. (Les bâtisseurs de Chartres eurent la chance d'avoir, à 10 km, dans le village de Berchères, une carrière dont la pierre d'une qualité remarquable, claire, dure et non gélive, permet d'admirer, de nos jours, une architecture particulièrement bien conservée.) Après un laborieux transport et la taille, on procédait ensuite à la pose, jusqu'à des hauteurs impressionnantes : la voûte de Chartres est à 37,50 m de moyenne, la pointe du clocher sud à 103 m du sol (la flèche nord, flamboyante, n'ayant été élevée qu'au début du XVIᵉ siècle, n'entre pas ici dans notre propos). On souffrait de la chaleur, un peu moins peut-être du froid, car dès que venait le gel, il fallait arrêter les travaux et protéger les lits de pierre en cours d'élévation par paille ou fumier. Pourtant, malgré le travail pénible, des femmes n'hésitèrent pas à se faire embaucher et Régine Pernoud a retrouvé la trace de Marguerite "la mortellière" qui, comme un homme, devait payer un sou d'impôt, ainsi que celle de Dame Marie, qui gérait peut être l'entreprise d'un défunt époux, et versait la somme importante de quatre livres.

Les "ymagiers" dont les œuvres sereines ont donné naissance au dicton *sage comme une image"*, étaient installés au pied de la cathédrale, abrités dans la loge. Ils y sculptaient chapiteaux, gargouilles et statues-colonnes et fignolaient certaines pièces, après la pose, parfois tout là-haut, plus près de Dieu que de l'admiration des hommes.

Un grand nombre de leurs outils sont encore utilisés au XXe siècle : massette, truelle, compas, équerre, fil à plomb, divers marteaux dentelés, telles la laie et la brette, enfin la pointerolle et le ciseau. Les matériaux étaient manipulés à l'aide de treuils, poulies "roues d'écureuil" mues par des hommes, grues, cabestans, tous en bois. Les manœuvres apportaient sur place le mortier et les pierres de petit volume. Ils les plaçaient dans des auges de bois à manche, portées sur l'épaule, sur de petites civières ou dans des brouettes sans pattes de support. Des échafaudages étaient aussi installés, au sol ou volants, pour terminer les parties hautes. (Les trous par où passaient les cordages sont toujours visibles dans la voûte ainsi que, dans les murs, ceux où s'encastraient les boulins, bois de support.)

Payés à la journée, à la semaine mais souvent aussi à la tâche, les tailleurs marquaient leurs pierres finies d'un signe, transmis parfois de père en fils, propre à une équipe ou à un degré de savoir. On en a relevé ainsi plus de 9 000. On peut découvrir, à Chartres, un assez grand nombre de ces marques, plus particulièrement dans les salles basses romanes, dans les escaliers logés dans les tours, dans ceux menant à la crypte et aussi sur la façade du XIIe siècle. Ce sont parfois de simples lignes (fig. 1), plus souvent des petites figures particulières ou géométriques (fig. 2),

jusqu'à la célèbre cuillère, gravée à hauteur des yeux, sur la colonne gauche appuyée au portail ouest, à l'intérieur de la cathédrale (fig. 3).

Fig. 1

Fig. 2

Fig. 3

Lorsque la reconstruction fut décidée, après l'incendie de 1194, le maître-maçon, influencé par l'édification de St-Denis et de Sens, voulut davantage d'élan et de lumière. Il osa donc supprimer les tribunes, obtenant de hauts collatéraux - le triforium n'ayant plus alors de soutien, - et perça, au-dessus, de grandes fenêtres géminées surmontées de roses. Il réalisa une voûte sur croisées d'ogives quadripartites (ou barlongues) et prévoyant le risque d'une poussée écartant les murs, il eut l'inspiration de concevoir, dès l'origine, les doubles arcs-boutants qui assurèrent une stabilité définitive et jamais égalée, à l'édifice.

Qui fut l'homme de génie qui dirigea les ouvriers et appliqua ces techniques ? En raison de la rapidité de construction, il est en effet permis de penser que ce ne fut qu'un maître-maçon, ayant gravi les échelons du métier par une qualification croissante, qui mena à bien cette formidable entreprise. (Des reprises, des différences de profil, de conception, étayent une autre thèse : cf John James.) Quoi qu'il en soit, on peut être assuré qu'il n'atteignit pas la position confortablement rémunérée de ceux qui lui succéderont aux siècles suivants, ceux qui, *"ayant en main la baguette et les gants"* s'enorgueilleront d'être les architectes.

Dans beaucoup d'édifices, les maîtres-d'œuvres ont laissé leurs signatures et portraits, ainsi que des épitaphes flatteuses. Mathieu d'Arras, Peter Parler de Prague, le Maître Humbret de Colmar ou Henry de Reyns de Westminster n'ont pas hésité à s'immortaliser dans la pierre. L'abbé Suger, bâtisseur de St-Denis qui, sans être maçon, veilla sur les moindres détails de la construction, se fit représenter et citer onze fois dans l'édifice ! A Chartres le ou les constructeurs sont inconnus, comme si tout avait été pensé pour que la gloire célébrée ne soit pas celle des hommes mais celle de Dieu.

LES MAÇONS - TAILLEURS DE PIERRE (YMAGIERS) dans les vitraux.

N° 11. Saint Sylvestre (1.2.3). (Photo).

Ce vitrail, l'un des plus bleus de la cathédrale, nous montre, en bas à gauche, deux manœuvres qui transportent une grande pierre plate qu'ils ont posée sur une civière.

Au centre, quatre maçons travaillent à la construction d'une église dont les lancettes et les contreforts évoquent la cathédrale. Deux d'entre eux, grimpés au sommet, posent des assises à crochets. Au sol, un tailleur et un sculpteur sont absorbés par le travail de la pierre.

A droite, unique dans l'histoire du vitrail, un médaillon rond est une nature morte qui présente les divers outils utilisés par les ouvriers du bâtiment ; on y voit une équerre, un marteau plat et dentelé, une truelle, des projets de chapiteau, de colonne, de moulure, une pierre plate, un socle sculpté et l'archipendule - sorte de fil à plomb fixé au sommet d'un triangle isocèle dont la base fait niveau -. On voit même une bizarre équerre, dont l'un des bras est courbe : c'est un biveau-cerce, utilisé pour le tracé des arcs.

N° 17. Saint Chéron (1.2). (Photo).

La signature occupe ici tout le bas de la verrière, en deux panneaux rectangulaires, comprenant quatre scènes. Celles-ci sont élégamment inscrites sous des arcs-brisés rouges et sont délimitées par des colonnettes à chapiteaux sculptés de feuillages divers. Le verrier a su donner beaucoup de vie à l'ensemble, ne serait-ce qu'en plaçant l'un des personnages derrière une colonne, créant ainsi une grande continuité dans l'action. Les œuvres de pierre blanche en cours d'exécution, ainsi que les ouvriers, ressortent sur le fond bleu intense du fond.

A l'extrême gauche, un maçon monté au sommet d'une tour crénelée, contrôle la perpendicularité du mur à l'aide d'un fil à plomb ; au sol, son compagnon taille un bloc, on distingue, dans l'arc-brisé au-dessus d'eux, un niveau.

A leur droite, deux ouvriers, marteau et burin en mains, taillent des blocs, entourés par leurs outils, une équerre est posée sur le sol et, dans l'arc, on peut voir un compas.

Dans la troisième scène, les "ymagiers" sculptent une statue-colonne, très semblable à celles qui sont aux portails nord et sud ; un ouvrier, appuyé sur le manche de son outil, se détend en contemplant son camarade attentionné qui termine un détail.

La quatrième scène, à droite, montre une statue moins avancée : le roi n'a pas de sceptre. Les deux ouvriers sont coiffés de la "cale", petit bonnet populaire ajusté et retenu par une mentonnière ; l'un des sculpteurs lève bien haut la massette sur le burin tandis que son compagnon fait la pause en se désaltérant.

N° 18. Saint Savinien et Saint Potentien (2).

Les maçons ont certainement voulu rendre hommage, dans ce vitrail, à saint Savinien, qui fut le fondateur de l'église de Sens.

En bas, à droite, un maçon, brette en main, travaille à la construction du flanc d'une église : on en voit deux arcs-boutants et la vaste verrière centrale surmontée d'un arc-brisé de pierre à crochets.

LES MAÇONS

N° 17. Les maçons (tailleurs de pierre et ymagiers).

N° 11. Les outils des maçons.

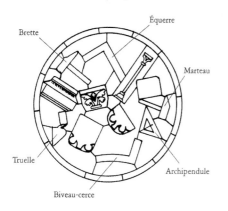

V - LES MÉTIERS DE LA TERRE

LABOUREURS

Les "travaux des mois", (appelés aussi "calendrier") sont représentés aux portails de nombreuses cathédrales. Ce sont de petites scènes, fort pittoresques, qui montrent, au fil des saisons, les diverses occupations champêtres. A Chartres, on trouve trois calendriers dans la statuaire et un dans les vitraux, symboles du cycle de la nature, de cette perpétuelle renaissance de la terre, vivifiée chaque printemps par le retour du soleil. Désir du clergé de faire percevoir la valeur rédemptrice du travail manuel, rappel de l'égrènement des fêtes liturgiques au cours de l'année, ils montrent aussi combien le souci de vivre, de survivre, était fort au Moyen-Age ; on vivait dans la peur : peur de la guerre, de l'an mil, de la maladie, du froid, de la faim, cette faim qui survenait avec le désastre de mauvaises récoltes.

Les paysans s'ingéniaient donc à tirer le maximum de la terre, sachant que d'elle dépendait, en grande partie, leur survie, et que du soin apporté à sa préparation avant les semailles, labour, hersage, naîtraient de beaux épis.

L'araire des romains, charrue sommaire et trop légère pour les grasses terres de Beauce, fut avantageusement remplacée par la charrue à versoir, puis à roue, plus maniable, qui, jusqu'à l'ère des tracteurs, ne subit guère de modifications. Tirée d'abord par des bœufs lents, mais puissants et capables de travailler en tous terrains, elle fut ensuite tractée par des chevaux. L'utilisation du cheval en agriculture posa, au départ, certains problèmes. Il fallut apprendre à le soigner et à cultiver des céréales lui convenant, principalement l'avoine. L'invention du fer, qui protégeait les sabots, du collier d'épaule, qui remplaçait l'horrible collier qui entourait le cou de la bête et l'étouffait à chaque pas, comprimant la veine jugulaire, l'invention aussi de la bricole, qui fixait le harnais au poitrail, facilitèrent grandement le travail dans les champs. On sut, enfin, gagner du temps en attelant les chevaux les uns derrière les autres, la force de trait s'en trouvant accrue.

Le mot laboureur vient du latin laborare, qui veut dire travailler, il évoque donc, outre l'entretien de la terre, bien d'autres tâches : soins au bétail, tonte, récoltes, tâches rudes, toujours à recommencer, pour ne trouver comme réconfort qu'un habitat succinct et une nourriture frugale.

Les paysans cultivaient aussi, avec amour, leurs jardins clos souvent de palissades de bois, de haies ou d'entrelacs de branches. Légumes, fruits, vigne, plantes médicinales, aromatiques, tinctoriales ou propres au tissage, assuraient l'indispensable. Les fleurs avaient leur place, destinées à orner les maisons, mais aussi très utilisées pour composer les coiffures fleuries que tout le monde portait à l'occasion des fêtes carillonnées et de maintes réjouissances et cérémonies.

Les cultivateurs maîtrisaient déjà parfaitement la méthode de l'assolement triennal et savaient la nécessité de fertiliser la terre par l'apport d'engrais. Ils menaient paître leurs moutons dans les champs, ces troupeaux piétinaient de leurs petits sabots leurs excréments et fumaient ainsi, naturellement, le sol. On disait d'eux qu'ils avaient des "sabots d'or". Parfois, le fruit du travail de toute une saison était détruit par les intempéries ou par les pillages. L'évêque Fulbert, dans certaines de ses lettres, évoque les malfaiteurs qui ont saccagé les récoltes de la région d'Allaines, et au début du XIIe siècle, le vicomte Hugues, en personne, causa pendant trois ans des dommages irréparables aux cultures.

Les cultivateurs venaient, bien évidemment, à Chartres vendre leurs produits, tout particulièrement lors des nombreuses foires qui égayaient leur vie. Dans cette ville où rayonnait le culte à la Vierge, les foires de la Chandeleur, de l'Annonciation, de la Nativité et de l'Assomption étaient des plus importantes. Pour entrer et sortir de ville, on devait payer redevance, c'était la tonlieu qui profitait grandement au seigneur.

Le seul témoin qui demeure de toute cette activité est le grenier de Loëns, partie supérieure de ce bel édifice évoqué dans les chapitres I et VII. Cette construction du début du XIIIᵉ siècle, à l'architecture typiquement locale par ses trois pignons étroits et pentus et son décor de colombage, tient son nom d'un mot danois qui signifie grange. Elle joua un rôle important dans le commerce des céréales, car le grain qui y était entreposé et qui représentait la dîme payée au clergé, servait de référence qualitative dans toute la région. Remarquablement restauré en 1974, le cellier est devenu lieu d'exposition et de documentation du Centre International du Vitrail, accueillant des œuvres de verriers de toutes époques et tous pays.

LES LABOUREURS dans les vitraux.
Nᵒ 39. (Petite Rose). (Photo).

L'inscription latine, difficile à déchiffrer, nous apprend que les donateurs de cette rose sont les *"laboureurs de Nogent"*. Il y a, autour de Chartres, cinq villes et villages portant ce nom ! Dans une jolie scène, pleine de vie, un paysan mène les deux chevaux attelés à la charrue. Le deuxième personnage se retourne, en conversation, semble-t-il, avec un troisième homme qui tient les mancherons de la charrue. Au centre, sous la roue, se détache la forme d'une grande cruche rouge, sans doute bien nécessaire pour se rafraîchir pendant ce dur labeur !

Nᵒ 39. Les laboureurs.

VI - LES MÉTIERS DU VÊTEMENT, DU CUIR ET DE LA FOURRURE

CHAUSSETIERS - CORDONNIERS-SAVETIERS - DRAPIERS et TISSERANDS
FOURREURS et PELLETIERS - TANNEURS - MÉGISSIERS - CORROYEURS

LES CHAUSSETIERS

Les documents sont rares sur cette profession, aussi en profiterons-nous pour découvrir rapidement un souci très ancien des hommes et des femmes : la mode.

Parlant d'elle, La Bruyère disait : *"A peine en a t'elle détruit une autre qu'elle est abolie par une plus nouvelle... qui cède elle-même à celle qui la suit... telle est notre légèreté !"*. Ce fut tout le contraire jusqu'à l'approche du XIVᵉ siècle, car la mode évoluait jadis d'une manière lente et progressive.

Au long de l'Antiquité et de l'époque gallo-romaine, le principe du costume fut la draperie, avec ce qu'elle a de gracieux : la tunique des femmes, ou d'imposant : la toge masculine. Une grande cape recouvrait indifféremment les épaules des deux sexes. Les jambes étaient nues, à peine protégées par des lanières de cuir entrecroisées maintenant des sandales du genre de ce que nous appelons, de nos jours, spartiates.

Aux époques mérovingienne et carolingienne, hommes et femmes superposent deux tuniques, de fil et de laine, et les jambes sont maintenant couvertes par des braies, sorte de pantalons de toile, larges et flottants.

A l'époque romane, la tunique supérieure s'allonge et un grand manteau, orné de franges et de pendeloques d'or si l'on est riche, protège du froid. Au XIIᵉ siècle, le paysan, dont le costume varie bien évidemment moins vite que celui des classes aisées, porte un vêtement court à capuchon, des braies, qui vont être remplacées par les chausses, et toujours l'ample manteau aux multiples usages. Il se protège des insolations, en se coiffant de petits chapeaux de paille tressée (voir le mois de Juillet, dans les Travaux des Mois, au Portail Royal), et de la bise, en enfonçant jusqu'aux oreilles une cale, bonnet rond emboîtant la tête.

Les chausses sont de toile, de laine, plus rarement de soie. Elles sont en deux parties, une pour chaque jambe, et sont attachées aux hanches par des aiguillettes. Ce n'est que beaucoup plus tard qu'elles seront réunies dans la partie haute... tout en se dédoublant de nouveau, cette fois à hauteur du genou. Le haut-de-chausse sera une sorte de culotte courte, couvrant les cuisses, le bas-de-chausse sera destiné aux mollets. Tricoté à l'aiguille à partir du XVIᵉ siècle, il deviendra le bas que nous connaissons.

Les femmes portent aussi des chausses, cachées par une chemise, la chainse, et par un bliaud, longue robe fluide à larges manches, serrée à la taille par une jolie ceinture à glands et pendeloques, à laquelle est accrochée une aumônière. La coiffure est simple, les cheveux sont longs, séparés souvent en longues tresses. Les reines du Portail Royal de Chartres, sereines et douces, sont la meilleure illustration qui soit du costume féminin de cette époque, costume dont Émile Mâle a dit qu'il est *"le plus majestueux que la femme ait jamais porté"*.

Le XIIIᵉ siècle s'ouvre sur l'invention révolutionnaire d'un tout petit objet : le bouton, qui va, dans bien des cas, remplacer le laçage ; on en voit la première représentation en 1204 (cf. G. Duby). Si le paysan se vêt toujours à peu près de la même façon, la mode est, pour les classes aisées, occasion d'un déploiement de luxe inouï. On aime la couleur : *"Tel fait ajuster une manche verte et une manche rouge à sa tunique dont le corps est de drap blanc...".* La pourpre, la soie, les broderies d'or rutilent ; ainsi, au sacre de Louis VIII où même *"les servantes sont chargées d'oripeaux..."* raconte Nicolas de Bray. (L'oripeau étant une étoffe brodée de faux or ou de faux argent.)

La chainse devient la chemise, sur laquelle on superpose une blouse - la futaine, - puis une première robe, - la cote, - puis une seconde, - le surcot, -. Avec tout ceci ne peut-on affronter les rigueurs de l'hiver ? Les amples manteaux, traînant jusqu'au sol, sont retenus par des boucles d'orfèvrerie ou plus simplement par des cordons noués dans lesquels on passe deux doigts avec élégance et désinvolture. Les femmes se coiffent du touret : elles ramassent leurs cheveux en une sorte de chignon enveloppé dans une coiffe de soie maintenue par un bandeau passant sous le menton. Les chaussures, souvent percées d'œillets et lacées, sont pointues et relevées. Ces "pigages"

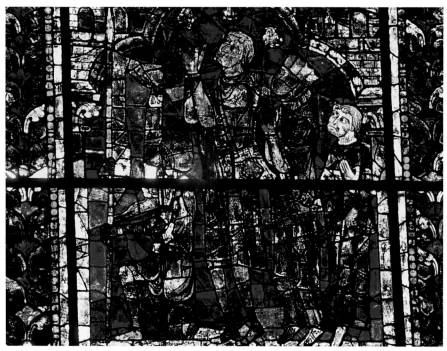

N° 28. Une famille de chaussetiers.

seront parfois d'une longueur démesurée. Enfin, il est de bon ton de tenir en main des gants à crispin.

A cette époque, les costumes féminins et masculins ne différèrent que fort peu, l'un des grands changements de ce siècle étant l'allongement des vêtements pour les hommes. L'influence du monde oriental et arabe sur l'occident ne fut pas seulement intellectuelle et artistique, elle fut aussi inspiration pour les créateurs de mode d'alors !

LES CHAUSSETIERS *dans les vitraux.*
N° 28. Saint Jacques le Majeur. (Photo).

Cette famille, d'apparence aisée, a certainement fait le pèlerinage à St Jacques de Compostelle, car le père et la mère portent la panetière, sorte de besace décorée de coquilles. L'un des deux fils, genou en terre, tient une enseigne blanche, en forme d'étendard, sur laquelle est représentée une grande chausse rouge.

Tous ont les yeux pieusement levés vers le ciel. Nous retrouverons ces honorables bourgeois dans une verrière du chœur.

N° 36. Aaron.

La famille qui offrit le vitrail n° 28 est ici de nouveau représentée. On voit le père, élégamment vêtu de bleu, son épouse, leurs deux fils ; l'un tient un énorme encensoir, l'autre une bannière sur laquelle Messire Gaufridus a fait écrire son nom. C'est le seul nom de famille de donateurs que l'on puisse trouver dans la cathédrale. La grande chausse rouge, à droite, est la voyante enseigne du magasin !

LES CORDONNIERS ET LES SAVETIERS

Pourquoi dit-on toujours : *"un petit cordonnier"* ? Est-il pourtant une profession qui ait plus fait travailler l'imagination et l'ingéniosité des hommes que celle de la cordonnerie ?

De la spartiate à l'escarpin, en passant par la cothurne, le chausson, la socque, la botte, le sabot, la mule, l'espadrille, la poulaine, la pantoufle, la babouche, le mocassin ou le brodequin, la liste est interminable de ce qui fut inventé pour protéger nos pieds si précieux.

Toutes sortes de matériaux furent utilisés : peaux de bêtes pour les hommes du néolithique (cf. Abbé Breuil), feuilles de jonc tressées pour les femmes de l'Égypte ancienne, cuir pourpre orné d'or et semelles de liège pour l'Égypte d'après Jésus-Christ, bois des sabots des pauvres, métal des sollerets des armures, fourrures des brodequins des samouraïs, tissus légers, métaux précieux... Les formes variérent également à l'infini et aussi les couleurs, ainsi le rouge, d'abord réservé aux courtisanes, qui devint par le goût de l'empereur Aurélien couleur impériale, adoptée plus tard par les papes.

Les Grecs, les Spartiates, les Romains et bien d'autres peuples, sont souvent représentés, dans l'art, non chaussés ; on sait qu'ils portaient cependant des chaussures pour des besoins bien précis : guerres ou expéditions sur des terrains difficiles. Il semble aussi que depuis fort longtemps, la chaussure ne fût pas portée seulement dans un but fonctionnel mais également dans un désir de prestige : ainsi les bottes des cavaliers et leur claquement martial.

Au Moyen-Age, les chaussures, qui coûtaient fort cher, figuraient parfois dans les testaments ou les dons aux monastères. A partir du XIe siècle, l'usage des souliers se répandit, mais ils restèrent rustiques, sans talons ni cambrure, maintenus par des lanières entrecroisées. Au XIIe siècle, suivant le renouveau de la mode, les chaussures différèrent selon le sexe, la région, et les classes de la société ; on les vit grandir en même temps que l'aisance et la poulaine,

démesurément pointue, s'allongeait d'un demi-pied, d'un pied, voir d'un pied et demi, suivant qu'elle était portée par le peuple, les bourgeois ou les seigneurs ; elle devint si grande qu'il fallait pour pouvoir marcher, en relever le bout par une chaînette attachée à une jarretière !

Le cuir était surtout utilisé, mais aussi le velours, la soie et le brocart, ornés de broderies et grelots. Dès lors, la chaussure participera définitivement à l'élégance : n'appelle-t-on pas toujours, à notre époque "va-nu-pieds" ou "traîne-savates" les pauvres gens ? Après la poulaine, la mode aboutit encore maintes fois à des extravagances et l'on vit, en Italie, fabriquer des "chopines" pour femmes de petite taille ; ces sortes de mules, appelées aussi... "pied-de-vache", avaient un patin pouvant atteindre 52 centimètres ! Il fallait l'aide de deux servantes pour parvenir à se déplacer. Les talons n'apparurent qu'au XVIe siècle et ce n'est qu'au XIXe siècle que l'on fabriqua des formes différentes, adaptées au pied droit et au pied gauche.

Dans la bonne ville de Chartres, au XIIIe siècle, en cette époque où la marche à pied était le moyen le plus économique sinon le plus rapide pour se rendre d'un point à un autre, les "sueurs", la grande masse des artisans qui fabriquaient les souliers, ne craignaient pas le chômage. Certains d'entre eux affichaient une belle supériorité sur les savetiers qui ne faisaient que réparer... mais ils devaient, à leur tour, subir les marques de suffisance des "cordonniers". Ceux-ci, en effet, étaient détenteurs, sinon de secrets, du moins d'excellentes techniques pour travailler le cuir de Cordoue, réputé le meilleur, cuir duquel ils tenaient leur nom. Tous étaient renommés pour leur gaieté et leur humour, et l'on a dit longtemps, d'une bonne farce : *"C'est un tour de savetier."*

Les cordonniers chartrains se tenaient rue du Petit Soulier, rue des Sueurs, qui devint la rue de la Planche aux Carpes, et près des portes du Coin de la Savaterie et de la Petite Cordonnerie. Ils partageaient avec les drapiers le droit d'avoir des étals sous le marché fermé de la place des Halles, le marché des Pierres. Les chaussures fabriquées en Beauce s'enlevaient à l'envi jusque dans l'Orléanais, surtout lors des grandes foires. Ces jours-là, les sueurs étalaient leur marchandise dans le cloître et le cimetière de l'église St André.

Aujourd'hui, les échoppes des cordonniers se font rares dans la ville, mais la foire de la St-André a toujours lieu, au début du mois de décembre. Les chartrains retrouvent joyeusement, chaque année, cette manifestation qui perpétue le souvenir des grands marchés d'antan.

LES CORDONNIERS-SAVETIERS *dans les vitraux.*
N° 3. Le Bon Samaritain (1 à 5).

Dans les carrés des angles de la bordure, deux minuscules cordonniers sont assis, penchés sur leur travail.

N° 4. Les cordonniers. Scène de vente.

Dans la scène de gauche, un cordonnier, entouré de souliers et de bottes bien alignés, coupe un morceau de cuir posé sur une planchette. Au centre, deux artisans sont occupés à coudre des souliers ; la scène de droite est particulièrement intéressante : elle représente un groupe d'hommes agenouillés, offrant un vitrail, et l'on peut lire le nom de leur confrérie sur la banderole qui se déploie en ton jaune orangé : "sutores" c'est-à-dire les sueurs, qui seuls dans la cathédrale désignèrent, en toutes lettre, leur métier donateur.

N° 4. Mort et Assomption de la Vierge (1 à 5). (Photo).

On trouve, ici aussi, deux petits artisans, dans les angles de la bordure : l'un coud, l'autre montre une botte.

Les trois scènes, qui nous font entrer dans l'activité des cordonniers, sont étonnamment vivantes : à l'extrême droite, deux hommes raclent une peau bien étirée. Au centre, nous entrons dans l'échoppe ; un homme fabrique un soulier ; on en voit tous les détails et nous apprenons ainsi que la mode est aux chaussures basses, retenues par des lacets passant dans des œillets. Enfin, dans la scène de gauche, le client est assis, tenant en main son vieux soulier, un pied nu un peu avancé avec grâce. Devant lui, le vendeur, présentant un soulier, fait de la main droite un geste plein d'éloquence pour vanter la solidité et la souplesse du cuir : *"Avec cet article, Messire, vous pouvez marcher jusqu'à St Jacques."* Une fois encore, on découvre l'art du verrier, sa spontanéité et son humour.

N° 16. Saint Étienne (1.2). (Photo).

Les cordonniers sont fort occupés, dans leur échoppe, au bas à gauche du vitrail. L'un coupe du cuir ; son compagnon coud, assis dans cette posture qui nous est toujours familière de l'artisan penché vers le support métallique qui soutient la chaussure en réparation. La clientèle ne manque pas, si l'on en juge par le panier, posé sur la table, plein de souliers à réparer ; des chaussures, bien alignées, attendent que, le travail terminé, leurs propriétaires viennent les reprendre.

La scène de droite est très originale et habile ; elle nous montre un groupe de "sueurs" déposant sur un autel le vitrail qu'ils offrent. Représenter en noir les plombs qui sertissent les verres eut donné, pour une si petite surface, un résultat lourd et confus ; le verrier a eu l'ingéniosité d'inverser et de réaliser l'armature en une sorte de filigrane clair : vue comme un négatif photographique, la minuscule verrière est ainsi tout à fait évidente.

N° 16. Les cordonniers. L'échoppe.

LES DRAPIERS ET LES TISSERANDS

Les étapes de la civilisation se dessinent parfaitement dans l'évolution du costume et dans l'observation des matières employées pour le réaliser. Un grand pas fut franchi lorsque l'homme, délaissant le port des peaux de bêtes et ayant inventé le tissage, se vêtit d'étoffes diverses.

On a trouvé dans l'hypogée de Beni-Hassan, en Égypte, la représentation, vieille de 3 000 ans, de deux femmes se tenant devant un métier à tisser. Le sarcophage de Thoutmosis IV, mort en 1 500 avant Jésus-Christ, renfermait des morceaux de tissu et les musées du monde entier possèdent des pièces ou fragments d'étoffes tissées, de toutes époques et multiples matières.

Après les peaux de bêtes, portées dès la Préhistoire, après les simples "enroulés" des civilisations sumériennes, on parvint, chez les Égyptiens, au port d'étoffes de lin, légères et souvent transparentes, le climat ne nécessitant pas une protection contre le froid. Les Grecs se drapèrent de laine, de coton et de lin, découvrant plus tardivement la soie, tissée de bandes de couleurs, lors de contacts avec l'Asie. Les Romains n'innovèrent pas, restant fidèles aux mêmes matières et aux formes simples, attachant plus d'importance à la ligne générale, aux couleurs et à leur symbolisme : les tribuns portaient une toge blanche, celle des magistrats et des prêtres était bordée d'une bande pourpre tissée, marque de leur autorité.

La qualité des étoffes subit, comme le costume lui-même, la rusticité des Barbares, et il fallut, une fois encore, l'influence byzantine pour voir s'épanouir un véritable art du tissu : richesse des matières et raffinement, parfois splendeur, des motifs. Soie, velours, brocart, étaient tissés de fils d'or et d'argent, rebrodés en relief et réhaussés de perles et de pierreries. On parvint, au XIIIᵉ siècle, à une élégance, à une recherche, et à une variété qui firent la fortune des drapiers.

Ces artisans, fort nombreux, jouissaient de considération... à condition d'avoir la chance de se trouver au sommet de la hiérarchie d'un métier divisé, plus que tout autre, en multiples branches. Ceux à qui la fortune avait souri, dominaient la fabrication du drap qui nécessitait parfois vingt-six opérations différentes, exécutées par les laveurs, les cardeurs, les foulons, les sergiers, les feutriers, les teinturiers et d'autres encore.

Drapiers de père en fils, ils sélectionnaient avec soin les matières premières, tout particulièrement la laine. Ils l'importaient essentiellement d'Angleterre pour qui elle était de première importance économique : en 1273, les éleveurs anglais tondirent huit millions de bêtes et la menace de les voir cesser leurs exportations était ce que craignaient le plus les acheteurs européens.

Au bas de l'échelle, se trouvaient des hommes aux dures tâches manuelles, exercées le plus souvent dans une constante humidité. Ainsi les foulons qui, avant l'invention du moulin à fouler, aux alentours de 1086, étaient soumis à rude épreuve : *"Ils sont nus et soufflants, foulent le drap dans une caisse où il y a de l'eau chaude... puis le frottent avec des chardons pour en tirer le poil"*, relate Jean de Garlande, au début du XIIIᵉ siècle, ce qui prouve qu'à cette date l'emploi des moulins ne s'était pas encore généralisé. Le drap subissait alors le battage, qui lui donnait l'apparence du feutre, puis les tondeurs le débarrassaient des poils et des irrégularités. (On peut voir, dans un vitrail de Rouen, une belle signature des tondeurs de drap dans laquelle les ciseaux - les forces - sont représentés... presque aussi grands que les donateurs !)

Une fois l'étoffe tissée, les drapiers avaient recours aux teinturiers qui travaillaient, le plus souvent, avec des produits d'origine végétale : garance, guède, safran, auxquels on ajoutait un mordant qui fixait la couleur.

Le métier de tisserand était réservé aux hommes, contrairement à l'Antiquité qui le faisait exercer par les femmes. Tâche triste et peu considérée, souvent pratiquée dans des caves humides et mal éclairées donnant sur la rue par quelques marches. Les femmes se voyaient plutôt confier le soin de tisser les étoffes mêlées de soie et de fils précieux, exigeant doigts fins et goût délicat. Elles étaient aussi, par excellence, fileuses, et apprécièrent sûrement, peu à peu, l'invention du rouet : il fallut, en effet, un certain temps pour que cette innovation fut acceptée, car on lui reprochait, au départ, de donner un fil sans finesse.

Mis à part les privilégiés, tout ce petit peuple menait, dans l'ensemble, une vie ingrate et sans grande espérance, assujetti à de multiples taxes et jouissant de peu de liberté dans le choix de ses employeurs. Il en vint à prendre conscience de la domination qu'il subissait et le milieu du XIIIe siècle vit se succéder une série de grèves, de massacres et de pillages.

Si le métier était aussi rude, la situation semble avoir été du moins plus calme en Beauce, et à Chartres. Au XIIe siècle, les moulins à foulons qu'avait fait installer Philippe Auguste, l'invention du métier à tisser à deux lisses à pédale, puis celle du métier à tisser à deux ouvriers, contribuèrent à rendre la tâche un peu moins pénible.

Les drapiers, dont les marchandises exigeaient d'être présentées à l'abri et dans de belles conditions, s'étaient vu attribuer un grand nombre de "tables", dans le marché des Pierres. On peut aujourd'hui parcourir la rue des Fileurs, la rue au Lin, ainsi que la rue de la Foulerie, qui fut rue de la Petite Rivière, belle promenade d'où l'on a de si pittoresques points de vue sur la vieille ville et sur la cathédrale. On passera aussi près de l'impasse des Poulies, dont le nom évoque les constructions couvertes et aérées qui permettaient de sécher le drap après foulage.

C'est aux drapiers que s'intéressera, en premier, le comte Thibault VI, afin de réglementer, par ordonnance, le commerce des laines : *"Les bourgeois de la rivière doivent avoir douze jurés qui sont tenus de garder la draperie de Chartres, et doivent faire serment de la garder aux us et coutumes qui sont que draps sains et raides* (sous-entendu : doivent être)*... et n'être que d'agnelins sains de laine..."* Nous ne sommes qu'en 1213, mais on pressent déjà les statuts qui soumettront bientôt les futures corporations de la fin de ce siècle.

LES DRAPIERS ET LES TISSERANDS *dans les vitraux.*

N° 13. Saint Jacques le Majeur. (2).

Dans la verrière où nous rencontrerons aussi les fourreurs, nous voyons, en bas à droite, le drapier fort occupé à "auner" le drap qu'il tend : on aperçoit, sur la

N° 15. Un tisserand derrière son métier.

pièce d'étoffe rayée, la main qui tient la baguette. Le client, à l'extrême droite, coiffé d'une sorte de bonnet conique, palpe le tissu pour juger de la qualité. Au centre, un commis, la main levée, vante la marchandise, comme faisait le petit cordonnier dans la verrière n° 4 !

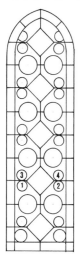

N° 23. Saint Eustache. (1 et 2). (Photo).

Les drapiers partagent à nouveau la signature avec les fourreurs. Ils sont, eux aussi, occupés à mesurer le drap.

N° 33. Daniel-Jérémie.

Les drapiers, représentés dans le médaillon de gauche, sont très semblables à leurs "confrères" des fenêtres basses. Ici aussi, on aune une étoffe, sous le regard attentif du client.

N° 23

N° 15. Saint Théodore et Saint Vincent. (1 et 2). (Photo).

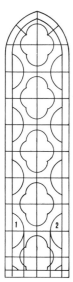

La signification de la scène de gauche n'est pas évidente : on y voit deux femmes, dont l'une porte un panier empli de boules multicolores ; une corbeille semblable est posée à terre. Ces femmes sont en conversation avec un homme dans la posture habituelle du client qui paie. On a pensé qu'il peut s'agir de fileuses vendant leurs pelotes à un tisserand.

Dans la scène de droite, un tisserand est au travail derrière son métier, représenté avec précision. Près de lui, un panier empli des mêmes boules colorées, ce qui confirme l'hypothèse des fileuses.

N° 18. Saint Savinien et Saint Potentien. (1).

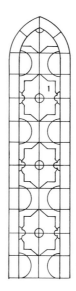

Cette scène est placée haut dans le vitrail. C'est peut-être la conséquence d'une erreur ancienne de dépose et repose. Là où elle est, elle n'apporte rien à la compréhension des scènes qui l'entourent, c'est pourquoi elle est considérée comme une signature.

C'est une scène remarquable qui montre fidèlement les détails du métier du tisserand : on en voit les deux lames et la pédale ainsi que le dévidoir et le rouet qui permettent à l'apprenti de confectionner un écheveau.

N° 44. Saint Étienne.

Dans les angles inférieurs de la bordure se trouvent deux petits personnages, vus à mi-corps, l'un d'eux tient un peigne à carder.

La scène principale représente une nouvelle fois un métier à tisser avec la même précision : lame, navette, rien ne manque, un commis tient un dévidoir.

N° 23. Chez le drapier. Aunage du drap.

LES FOURREURS ET LES PELLETIERS

Le port de la fourrure est un usage qui remonte à des milliers d'années ; l'homme, ayant découvert l'effet protecteur des dépouilles des animaux tués à la chasse, pensa progressivement à s'en couvrir.

Dans l'art le plus reculé, on trouve des représentations de vêtements de peaux de bêtes : la statuette assise d'un intendant assyrien, certains personnages de fresques crétoises, les membres du clergé égyptien, portent des fourrures ou brandissent des boucliers tendus de peaux de léopard.

Chez les Grecs, qui jouissaient d'un doux climat, nous ne voyons guère que les bergers se vêtir de sortes de tuniques de mouton... mais les représentations que l'on peut avoir nous font douter de l'efficacité de ces costumes, tant ils sont succincts ! Cependant, même pour un usage restreint, les fourrures avaient place au grand marché d'Athènes, c'est Aristophane qui le dit !

D'abord presque ignorée par les Romains, cette mode fut vite appréciée par les élégantes ; les prix montèrent d'une façon prohibitive et, en 301, Dioclétien dut les fixer par un édit. Le peuple portait alors chèvre et mouton et les classes aisées loup, panthère, lynx... et lion ! A la chaleur et au prestige qu'apporte la fourrure, il faut ajouter un côté magique, ainsi Auguste et Tibère portaient une peau de phoque qui les protégeait, pensaient-ils, de l'adversité.

Les Barbares, venus des rudes régions de l'est et du nord, se vêtirent de peaux brutes et entières, conscients, tel Hercule paré de la dépouille du lion de Némée, de l'aspect féroce et dissuasif que leur conféraient, face à l'ennemi, les oreilles dressées et les cornes de leurs trophées. Les Gaulois adoptèrent cette coutume ; ils se transformaient en hommes-loups ou hommes-ours du plus terrible effet. Les invasions furent précisément la cause d'une réticence dans l'élite ; voulant se distinguer de la rudesse des barbares, elle préféra le tissu, plus raffiné, les fastueuses étoffes byzantines pesant très fort dans la balance de ce revirement.

Il semble, de ce fait, qu'au temps de Charlemagne la fourrure ait été portée davantage pour des raisons pratiques ; ainsi l'on fabriqua des plastrons de peaux de brebis pour aller à la chasse et se protéger des épines.

L'église s'inquiétera devant le massacre des animaux et le clergé s'exprimera vivement contre tuerie et luxe, effets premier et dernier de la chasse. Charlemagne, réputé grand chasseur, instituera pourtant, dans ses Capitulaires, l'imposition des prix et les appellations contrôlées. C'est à partir de ce moment que l'on perçoit, sous-jacente, la réserve qu'aura le Moyen-Age envers certains animaux, symboles maléfiques de diabolisme ; la peur du chat noir, incarnation de Satan, persiste encore au XXe siècle dans certaines régions reculées de nos campagnes.

Toutes les réserves et interdits aboutiront, bien entendu, avec le charme que l'on sait au fruit défendu, à l'expansion du goût des fourrures ; le revirement est total à la fin du Xe siècle, le luxe s'installe et la mode s'étend à l'Espagne et au monde musulman. On adopte le port de peaux de fouines, belettes, taupes, loirs, lièvres, chats sauvages et martres. Le vair, ou petit-gris (écureuil du nord), et l'hermine, étant plus cotés, donc plus onéreux, sont réservés aux classes aisées, ainsi que le "pard" (guépard) et la somptueuse zibeline, introduits, sans doute, par les croisés.

Rois et seigneurs... et aussi le clergé, rivalisent dans l'opulence de leurs vêtements bordés ou fourrés, le raffinement consistant à porter le poil à l'intérieur, à la différence des peuples barbares. Le pape Boniface, tout en s'insurgeant contre l'usage de la fourrure, n'en porte pas moins *"manteau d'écarlate doublé d'hermine d'hiver"*, c'est-à-dire blanche. La cour et les nobles font recouvrir les sièges, confectionner des tentures qui servent aussi de séparations dans les pièces immenses de châteaux sûrement glaciaux, et aussi des couvertures dont la somptuosité laisse rêver : le roi Charles V en possédait vingt et une ;

l'une d'elle mesurait 6,24 m sur 5,24 m et avait nécessité l'emploi de 2 128 peaux ! Chapeaux, gants, chaussures, bottes étaient également doublés ; Charles VI et son frère commandèrent, en dix-huit mois, 450 couvre-chefs...

Les paysans et le petit peuple des villes utilisaient aussi, mais modestement, la fourrure. L'idéal était d'être attaché au roi ou à un seigneur de qui on recevait une "livrée", sorte d'uniforme qui montrait la richesse et le prestige du maître.

Il n'est donc pas suprenant de compter 900 pelletiers à Paris au XIIIe siècle. Ces artisans n'hésitaient pas à se rendre à l'étranger pour acquérir la marchandise ; le roi et les seigneurs envoyaient des "ministériaux" aux sources mêmes : Espagne, Angleterre, Danemark, Crête, Pologne, jusqu'à la Mer Noire. D'une façon plus courante, on se procurait la matière première sur les grandes foires, dont celles de Paris et de Clermont, sur lesquelles des juifs spécialisés offraient leurs importations de Sibérie. Plus simplement, c'est aux bouchers que l'on pouvait acheter les moins belles peaux : chèvre et mouton.

Les pelletiers faisaient subir aux peaux diverses opérations : il fallait nettoyer, dégraisser, sécher, assouplir... la marchandise était enfin soumise à l'examen sévère d'un expert. Les fourreurs pouvaient alors exercer leur art ; ils avaient pour tâche de transformer les peaux suivant les commandes. Ils utilisaient des pièces nombreuses, en raison de la très petite taille de la majorité des animaux employés, mais savaient les mettre en valeur en jouant avec les contrastes, opposant les couleurs et le sens du poil.

A Chartres, nobles et clergé avaient bien évidemment suivi la mode et le moine Paul relate la grande activité qui régnait dans l'atelier de pelleterie de l'abbaye de St Père en Vallée. La Beauce était peuplée de nombreux chats sauvages et l'offre de quelques-unes de leurs plus belles peaux était cadeau apprécié. La communauté de la "Queue de Regnard" se tenait dans une rue du même nom qui deviendra la rue du Soleil d'Or. Les fourreurs avaient aussi des boutiques rue de la Pelleterie ; ils présentaient les marchandises dans des coffres dont le couvercle s'ouvrait sur l'embrasure des fenêtres des échoppes. Cela limitait le champ d'action des filous de l'époque, toujours prêts à faire disparaître prestement un objet trop tentant, exposé sur un étal. Le vent souffle fort, l'hiver, sur la plaine de Beauce et dans le Cloître, autour de la cathédrale, les chaudes pelisses devaient être appréciées... et souvent enviées !

Le XXe siècle a vu l'arrêt des massacres de certains animaux, tués parfois sauvagement pour l'exploitation de leurs peaux, et le port de la fourrure est réprouvé par de nombreuses personnes, regroupées en associations. On prône la fabrication de la fourrure "écologique" c'est-à-dire synthétique et les résultats d'imitation sont souvent étonnants. Cependant, il semble que la fourrure véritable, modeste ou somptueuse, exercera toujours son charme sur l'humanité, comme elle le fit depuis des siècles.

LES FOURREURS ET LES PELLETIERS *dans les vitraux.*

N° 13. Saint Jacques le Majeur. (1). (Photo).

Dans la scène inférieure gauche se tiennent quatre personnages. Devant la similitude des costumes féminins et masculins à cette époque, il est difficile de savoir si la personne, vêtue d'un élégant manteau rose qu'elle a passé sur une robe verte, est un homme ou une femme ; cependant, il est joli d'imaginer qu'un couple s'est rendu chez le fourreur, l'épouse s'est dégantée pour mieux juger du moelleux de la pièce présentée, encore pliée, par le marchand. Un commis cherche, dans un coffre rose dont on distingue les pentures de fer forgé, d'autres fourrures susceptibles de plaire.

N° 14. Charlemagne. (1).

Il est probable que cette verrière ait été offerte par les fourreurs parce que Charlemagne était grand amateur de chasse. Dans le demi-cercle central, au bas du vitrail, un voyageur vient d'entrer dans la boutique : on voit la porte entrouverte, encadrée par des colonnes à chapiteaux, ce qui laisse deviner l'aisance du marchand. Celui-ci présente à son client en tenue de voyage, le bâton de marche à la main, une somptueuse cape d'hermine ou de vair.

N° 13. Dans la boutique du fourreur.

N° 23. Saint Eustache. (3 et 4).

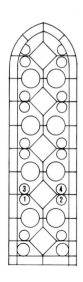

L'historien d'art Louis Grodecki parle du vitrail relatant les aventures de Saint Eustache comme de l'un des plus beaux de la cathédrale, et il donne au verrier qui l'exécuta le titre plus que jamais mérité de "maître". Le jeu délicat de coloris peu communs au XIIIe siècle, la finesse du dessin, l'élégance de la disposition des médaillons apparentent cette verrière à l'art raffiné de l'enluminure.

Dans de petits cercles placés de chaque côté du second carré axial, les fourreurs déploient et présentent à un client des pièces de fourrure. En offrant cette fenêtre, ils se souvinrent qu'Eustache fut grand chasseur, lorsqu'il était encore Placide. (Les drapiers, 1-2, se joignirent ici aux fourreurs).

N° 33. Daniel-Jérémie.

Les fourreurs et pelletiers partagent ici encore la signature avec les drapiers. L'artisan est dans le médaillon de droite : le front ceint d'une sorte de bandeau, il présente à l'acheteur un vêtement fait de nombreuses petites peaux.

N° 43. Quatre apôtres.

Un fourreur présente une belle cape de fourrure déployée. Du geste coutumier, le client lui tend une pièce de monnaie.

LES TANNEURS - MÉGISSIERS - CORROYEURS

Les peaux des animaux, revêtues de leur fourrure ou converties en cuir, furent utilisées de tous temps par les hommes qui, du vêtement à la chaussure, de la tente à des récipients et maints objets utilitaires, surent profiter de la solidité, de la maniabilité et de l'imperméabilité de cette matière.

La conservation des peaux était délicate car si l'humidité les faisait pourrir, la chaleur ou une trop grande sécheresse les racornissait. La découverte, peut-être accidentelle, de l'action conservatrice de certains jus végétaux et sucs d'écorces fut donc capitale et contribua grandement à faire progresser et prospérer l'industrie du cuir.

Certaines villes d'Asie ou d'Afrique ont encore un quartier des tanneurs. Les conditions de travail sont difficiles à imaginer et invitent à la discrétion et au respect. Les procédés sont semblables à ceux du Moyen-Age : des cuves nombreuses étaient disposées en plein air, des peaux de toutes sortes y "marinaient" dans un liquide trouble dégageant une odeur nauséabonde. La macération se faisait dans des solutions d'eau de chaux et d'acide tannique. Le tan, qui provient de l'écorce de différents arbres mais essentiellement du chêne, était emmagasiné dans les "bordes", sortes de grands réservoirs, puis était ensuite finement broyé. Bien des tanneurs finissaient leur triste carrière la peau rongée par la chaux et les acides.

Le travail s'effectuait près des rivières, dans une constante, malodorante et insalubre humidité. Les peaux étaient salées, délainées, épilées, écharnées. En relation avec les bouchers, qui furent pratiquement leurs seuls fournisseurs jusqu'au XIXᵉ siècle, les tanneurs trouvaient, eux aussi, tout naturel de rejeter poils, déchets et contenu des cuves - les plains - à la rivière... La pollution entraîna l'obligation pour ces artisans d'installer leurs ateliers en aval des villes, comme cela avait été exigé pour les abattoirs (voir chap. 2 - Les bouchers).

Les "sueurs", (les cordonniers), ne firent d'abord qu'un seul corps avec les tanneurs, les corroyeurs, que l'on surnommait les "cornus", les parcheminiers et les

mégissiers. Ces derniers avaient pour tâche de préparer les peaux plus fines et souples, destinées entre autres usages, à la fabrication des gants et des escarcelles, tandis que les corroyeurs apprêtaient le cuir courant et le transformaient en objets usuels, comme les harnais des chevaux.

Devant l'importance de la profession, les différentes branches se séparèrent par la suite, les cornus étant érigés en "corps reconnu" sous Saint Louis. A Paris, dès 1160, leur confrérie avait été l'une des premières à être considérée comme officielle.

Le travail du cuir était, à Chartres, une véritable spécialité locale, dont les produits étaient réputés à la ronde. Les peaux traitées étaient vendues principalement sur le marché de la Perrée, en basse-ville. Les rues de la Tannerie, de la Corroierie, du Moulin à Tan, l'impasse du Coin-Cornu, anciennement rue de la Porte aux Corneux, évoquent pour nous l'activité intense régnant dans un quartier que se partageaient meuniers, drapiers, armuriers, tanneurs et tant d'autres "artisans de la rivière".

Les bruits d'outils, le ruissellement des roues des moulins, le bêlement des moutons venant s'abreuver, les rires, les cris, les chants se sont tus... Cet endroit est

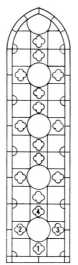

devenu un silencieux lieu de promenade bordant l'Eure dans laquelle se reflètent encore quelques lavoirs, l'Eure un peu glauque que caressent les longs cheveux d'un saule et sur laquelle flottent, au printemps, les pétales roses des cerisiers du Japon.

LES TANNEURS - MÉGISSIERS - CORROYEURS dans les vitraux.

N° 9. *Saint Martin. (1 à 4). Page 50.*

En 1 : un ouvrier gratte, à l'aide d'une longue lame, un morceau de cuir posé sur une table.

En 2 : la scène est inversée, mais pratiquement identique.

En 3 : un homme fabrique un harnais, dont on distingue parfaitement les courroies.

En 4 : le corroyeur tient en main un objet difficile à identifier.

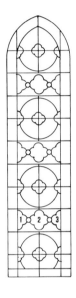

Nº 10. Saint Thomas Becket. (1.2.3).

On assiste ici, de façon très documentaire, au tannage des peaux.

En 1 : le tanneur enfonce, à l'aide d'un bâton, afin de ne pas être brûlé par la chaux, une peau dans le plain (la cuve).

En 2 : au centre, on assiste à une classique scène de vente.

En 3 : le tanneur racle une peau, à l'aide d'un grattoir rond, afin de la débarrasser des déchets de chaux et des poils restants.

Nº 31. Saint Paul.

Deux mégissiers sont occupés à dégraisser une peau qu'ils ont passée dans une sorte d'anneau qui permet de la tordre fortement et d'en extraire l'huile qui a servi à l'assouplir. On voit, près d'eux, divers objets en cours de fabrication, dont des escarcelles.

Nº 42. Saint Nicolas. (Photo).

On aperçoit, dans les angles de la bordure, de petites escarcelles, symboles du travail raffiné des mégissiers dans le travail de tannerie.

Comme dans le vitrail nº 31, deux ouvriers, ayant passé la peau dans un anneau, la tordent pour la dégraisser. Sur la droite, leur compagnon travaille une pièce posée sur un chevalet.

Nº 42. Les mégissiers.

Les corroyeurs.

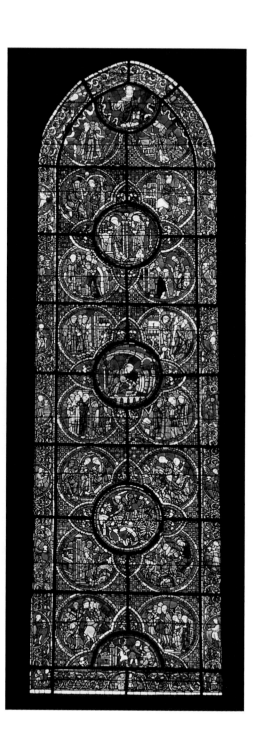

VII - LES MÉTIERS DU VIN

VIGNERONS - MARCHANDS DE VIN

LES VIGNERONS ET MARCHANDS DE VIN (CABARETIERS)

Depuis les temps les plus anciens, le vin exerce son charme sur les hommes. Le premier témoin de son histoire proviendrait de la tombe d'un pharaon, mort voilà sept mille ans. Près du sarcophage, parmi divers objets, se trouvait la statuette d'un serviteur portant une jarre de vin. Osiris, le dieu protecteur des morts, était aussi *"maître de la vigne en fleur"*, cette vigne dont le jus, boisson et élément d'offrande, servait également de remède aux Égyptiens, mélangé à d'autres ingrédients.

Les Grecs, à leur tour, apprécièrent hautement le vin qui était pour eux boisson courante, car le soleil de leur pays favorisa la variété des cépages. Homère, tout au long de l'Odyssée, chante divers vins et décrit les effets enchanteurs de ce *"divin breuvage"*, telle l'ivresse d'Ulysse, charmé par la magicienne Circé.

La Rome conquérante adopta le vin elle aussi et eut pour lui le même passion. Horace assure que *"le bon vin fait les amis et les conserve"*, et Aristophane dit *"qu'il est le lait des vieillards"*. Les Romains ne trouvèrent d'ailleurs pas de plus grand honneur à lui rendre que de le placer sous la protection de Bacchus, fils de Jupiter. Il coulait à flots lors des fêtes dédiées à ce dieu, les fameuses bacchanales.

Enfin les Gaulois, conquis par Rome... et par la vigne, implantèrent celle-ci d'abord dans le sud, puis le progrès aidant à découvrir des cépages plus résistants au froid, parvinrent à la cultiver sur des terres plus septentrionales.

Vint le Moyen-Age et, avec lui, bien des vicissitudes pour cette culture, affrontée aux ravages des guerres qui ruinaient les terres et les échanges commerciaux. Vers le Xe siècle, une accalmie permit à la vigne de reprendre, au propre et au figuré, sa place au soleil. Les moines de Cîteaux donnèrent l'exemple en plantant les premiers ceps de Clos Vougeot. La règle de ce monastère incitait à boire avec modération le vin récolté, mais une réforme de cette même règle, au début du XIIIe siècle, laisse deviner la difficulté qu'avaient les moines à respecter une contrainte aussi sévère !

Le XIIe siècle apporta la prospérité aux vignerons. Aliénor, en se remariant avec Henri II, roi d'Angleterre, offrit l'Aquitaine à son nouvel époux, et avec cette province, le vin de Bordeaux. Le roi apprécia fort cet aspect de la dot de sa femme, il favorisa les bourgeois bordelais, importa leur production dans son pays, et ce vignoble s'étendit considérablement.

La Haute-Église elle-même s'intéressa à la vigne et l'on vit, un peu plus tard, un évêque superviser ses propres cultures et en faire lui-même la promotion. Il deviendra le pape Clément V, et se montrera plus vigneron que pasteur !

Du fait de cette prospérité, cabaretiers, taverniers et buffetiers se multiplièrent. On distinguait d'eux les cervoisiers, fabricants d'une sorte de bière à base essentiellement d'orge, consommée depuis l'Antiquité. Les amateurs pouvaient choisir entre vin rouge, vin blanc et vin "claret", suivant les régions. De l'eau, parfois, était ajoutée dès le tonneau, diminuant le degré... mais aussi allongeant la production ! Des filous versaient aussi quelques mesures de "vinum tinctum" (vin teinturier) lorsque la récolte n'était pas bonne et produisait un vin de petite couleur.

L'image de la Beauce est depuis longtemps celle d'un immense grenier à blé et autres céréales. Pourtant, on sait que la vigne fut exploitée très tôt dans cette région, réservée d'abord aux seigneurs et aux moines ; ainsi l'abbaye de St Père en Vallée posséda, parmi les premières, un pressoir. Au milieu du XIᵉ siècle, le moine Paul décrit la ceinture de vignes qui entoure Chartres, vignes dont les moines commencent à confier quelques arpents au peuple. Ces paysans savent maintenant cultiver avec méthode, et les côteaux de l'Eure, de l'Aigre et du Loir se couvrent de ceps. Au XIIᵉ et au XIIIᵉ siècles, cette culture s'est complètement démocratisée, et le vin, consommé auparavant par les classes aisées, réjouit largement le peuple.

Les taverniers de Chartres sont nombreux. Leur confrérie est fort animée et se voit même invitée à remplacer son banquet annuel, occasion de grande gloutonnerie, par une aumône en faveur des lépreux... Cette sévérité, et la lourde dîme qu'il faut verser aux chanoines, n'empêchent pas les taverniers de vanter les mérites de leur vin jusque dans la cathédrale !

Il y eut à Chartres une rue du Baril, aujourd'hui disparue ; la rue des Vignes, la place de l'Étape au Vin, la rue du Faubourg La Grappe, la rue du Bois-Merrain (bois utilisé pour la fabrication des tonneaux), évoquent encore la viticulture. De même, le remarquable cellier de Loëns, construit au tout début du XIIIᵉ siècle, à quelques pas du flanc nord de la cathédrale, est un magnifique témoin. Sous le grenier, qui a été évoqué à propos des charpentiers (chap. I), où étaient entreposés, entre autres

redevances, les produits de la dîme versée au chapitre, le cellier déploie en sous-sol ses trois superbes nefs voûtées d'ogives. Elles abritaient le vin du clergé de la cathédrale, provenant en partie des vignes appartenant à l'Église.

Enfin, autre vestige évoquant le commerce du vin, situé rue Colin d'Harleville, la porte Renaissance d'un ancien Jeu de Paume, le Tripôt de Jérusalem. Au fronton, une inscription gravée : *"Valeat qui dissidium volunt..."* invite à passer ceux qui apportent la discorde.

La renommée des vins français était déjà fort grande alors et l'on chantait : *"Vive le poisson de Normandie, le blé d'Angleterre, mais le vin de France"* (S. de Adam, dans sa Cronica). Vers 1262, le Livre des Miracles célèbrera enfin les vignobles beaucerons : *"Car la parole et le renom des bons vins avaient entendu qui à Chartres èrent (étaient) vendus".* En 1852, E. de Lépinois, qui avait étudié avec minutie l'histoire régionale, restait sceptique, non sans humour, à propos de ces

Nº 24. Une scène de cabaret.

52

louanges : *"Il faut en conclure"* écrivait-il *"sinon que la Beauce fut couverte de grands crus d'excellents vins, du moins que le goût de nos ancêtres différait du nôtre !"*

LES VIGNERONS ET MARCHANDS DE VIN
dans les vitraux.

N° 7. Histoire de la Vierge. (1). (Photo).

Dans le cercle inférieur gauche, deux paysans émondent une vigne. L'un brandit une serpette. Cet outil ne changera pas de forme jusqu'au XIXᵉ siècle, époque où il fut remplacé par le sécateur.

N° 8. Le Zodiaque (le calendrier). (1).

Cinq hommes sont au travail, dans le médaillon de gauche ; l'un tient une houe, sorte de pioche à large fer, servant à remuer la terre, ses compagnons taillent la vigne.

N° 7. Émondage de la vigne

N° 24. Saint Lubin. (1 à 24). (Photos).

Cabaretiers et vignerons se cotisèrent pour offrir à Saint Lubin ce souvenir du temps où, bien loin de penser qu'il deviendrait un jour évêque, il n'était que le modeste cellérier de son monastère.

La signature est ici tout à fait particulière. Tout d'abord, elle comporte vingt-quatre scènes, nombre le plus important représentant des donateurs dans un vitrail. D'autre part, si vingt médaillons, en forme de demi-cercles, sont répartis tout autour de la bordure, les quatre scènes essentielles sont à lire, en suivant une ligne axiale ascendante, au centre de la verrière, ceci dans un esprit symbolique.

Dans les angles, de petits personnages portent des coupes de vin et des bâtons courbes. La bordure montre les mêmes donateurs ; deux font exception, l'un s'appuie sur un bâton, l'autre semble parler. Au centre inférieur de cette même bordure, une petite scène oppose visiblement une dame vêtue de jaune, touret sur la tête, une escarcelle sur les genoux, à un homme - époux, fournisseur, intendant ? - qui semble désireux de s'éloigner au plus vite !

Le demi-cercle qui domine nous fait pénétrer dans un cabaret. Le client est assis, alléché par le contenu de la coupe dont le cabaretier, debout, tient le couvercle. Le jeune commis porte sur l'épaule la dodine, bâton courbe qui servait à remuer le moût en fermentation.

Dans le cercle supérieur, un vigneron livre son vin à la ville, assis à califourchon sur son cheval qui porte un collier d'épaule, dont c'est la première représentation dans un vitrail. L'homme, coiffé de la cale, le bonnet des gens du peuple, a arrimé avec soin le tonneau à l'aide de cordages. La scène se déroule dans un joli paysage fleuri.

Le second cercle axial nous conduit dans une cave voûtée en plein cintre. Un moine, sans doute

Saint Lubin, cruchon en main, tire le vin au tonneau.

Au-dessus, par un très beau passage du matériel au spirituel, le verrier a représenté le Saint Sacrifice de la messe, le vin consacré devient le sang du Christ.

N° 24. Le vigneron livre son vin.

VIII - DIVERS

APOTHICAIRES - CHANGEURS - MERCIERS - PORTEFAIX
PORTEURS D'EAU - POTIERS D'ÉTAIN - SONNEURS - CARILLONNEURS

LES APOTHICAIRES

Il est difficile de déterminer à partir de quelle époque l'homme a cru bon de se soigner ou de guérir ses semblables. La maladie étant sûrement née avec l'humanité, on peut penser que les premiers guérisseurs ont été des sortes de sorciers, essayant de conjurer le mal d'abord verbalement ou gestuellement, puis découvrant souvent par hasard l'effet bénéfique... ou maléfique de certaines plantes. Une tablette, décriptée au début du XXᵉ siècle, évoque les remèdes végétaux utilisés par la civilisation sumérienne, 3 000 ans avant Jésus-Christ. On s'aperçoit aussi que la Chine, la Perse ou l'Inde usèrent de plantes qui sont à nouveau très en vogue de nos jours, tel le ging-seng.

Les Égyptiens découvrirent, qu'en plus de vertus médicinales, certaines plantes ont un pouvoir conservateur, et ils embaumèrent leurs morts. Le papyrus d'Eber, dix-huit siècles avant Jésus-Christ, reconnaît que si seuls les dieux, Rê en particulier, ont le pouvoir de guérir, les bains, fumigations, purges, clystères, emplâtres, onguents à base d'éléments végétaux, animaux ou minéraux sont d'excellents remèdes.

En Grèce, les "préparateurs" furent longtemps des prêtres et c'est dans ce pays que la médecine, dont le dieu était Esculape, est réellement née. Hippocrate, Galien, parmi bien d'autres, ont illustré cette science, et ils demeurent estimés de nos jours. Les médecins s'inscrivant au Conseil de l'Ordre prononçaient encore voici quelques années le beau serment d'Hippocrate, engagement exigeant pour l'exercice de leur profession.

La Gaule conquise adopta, une fois de plus, la science de ses vainqueurs. Suivit alors une longue période de décadence et de stagnation, puis vers le VIᵉ siècle, les moines, dont les monastères étaient pour le peuple symbole d'asile et de sauvegarde, s'intéressèrent à la santé, curieux de tout ce qui touchait à la connaissance. Ils avaient, dans l'abbaye, des jardins divisés en parcelles, destinées à des plantations précises : herbes et aromates pour la cuisine, fleurs pour l'autel, jardin d'agrément pour l'Abbé, et plantes médicinales, seize d'entre elles étant jugées indispensables.

Le mot apothicaire apparut réellement au Xᵉ siècle. Ce furent des laïcs qui, en même temps que les moines, exercèrent ce métier, tenant boutiques pour la première fois, et cultivant, eux aussi, des jardins derrière leurs maisons. Ils étaient parfois très proches des marchands d'épices et d'aromates, leur fournissant les produits, souvent surprenants à nos yeux, qui servaient à la fabrication des onguents, parfums et préparations diverses. Certains acquirent notoriété et firent fortune.

Le matériel nécessaire à la confection des remèdes était proche de celui utilisé par les maîtresses de maison en leur cuisine : bassins et chaudrons de cuivre, cuillères à longs manches, balances, fourneaux, pinces, mortiers et pilons, vases de terre et de verre aux multiples formes.

Quant aux "recettes" des remèdes, autant dans l'Antiquité qu'au Moyen-Age, leur composition n'est guère appétissante. Bien sûr, on utilisait tout simplement le cerfeuil pour soigner les voies urinaires, le chou calmait le feu des brûlures, la moutarde noire servait à confectionner des sinapismes et le cresson déliait les langues paralysées. Mais que de mélanges !

Certains d'entre eux, faits de poudres minérales, cuivre, zinc, soufre, et extraits de plantes, semblent logiques ou acceptables... L'ajout d'excréments et d'urine, et de tout ou partie de chiens, serpents, pucerons, chauve-souris, lézards et milans, (l'énumération de la "ménagerie" nécessaire serait fastidieuse), laisse pour le moins rêveur !

Le Moyen-Age donna parfois aux plantes une réputation magique, ainsi qu'au monde animal. La cueillette de certains végétaux devait se faire à des heures et à des dates précises, par exemple à la Saint Jean, pour que la guérison d'une maladie ou l'obtention d'un vœu soient assurées. Le rustique poireau, la doucereuse angélique, le symbolique romarin, mais aussi la perverse aconit, la mortelle belladone, enfin l'inquiétante mandragore, qui depuis l'Antiquité évoque par sa forme le corps humain, toutes ces plantes étaient transformées en poudres, potions, onguents, emplâtres et philtres.

Certaines préparations, composées d'incroyables ingrédients, prêtent vraiment à rire, même si elles sont, au propre comme au figuré, d'un goût douteux et parfois macabre. Elles nous confirment la naïveté charmante et la croyance dans le merveilleux de l'époque.

Ainsi, *"pour avoir l'haleine douce"*, il est recommandé *"de se frotter les dents avec de la cendre de rat mélangée avec du miel ; "pour guérir les maux de poumons,"* rien ne vaut *"un sirop à base de rats bouillis dans l'huile"*... *"L'extrémité des cornes de limaçons",* savamment préparée, *"guérira des rages de dents".* (Mais le préparateur aura peut-être alors les nerfs malades, tant il lui aura fallu déployer de patience pour ramasser les escargots et prélever le bout de leurs cornes !) Enfin, *"la fièvre quarte"* sera réduite, en un clin d'œil, par une *"potion de cheveux de pendu"*.

Chicanes et rivalités naîtront, au fil des ans, au fur et à mesure que se formeront les corps bien séparés des barbiers, des apothicaires et des médecins. Les barbiers, après avoir longtemps exercé une chirurgie rudimentaire, verront certains membres de leur profession acquérir un grand prestige, ils seront les chirurgiens. Les pauvres apothicaires subiront les marques de supériorité de leurs "confrères" qui leur reprocheront de ne pas parler latin... et tout bonnement de tuer leurs clients ! Plus tard, Rabelais, indifférent à l'idée d'aviver une si ancienne querelle, accusera même plaisamment les apothicaires de pactiser avec le diable !

Il ne faut en effet pas oublier que si les échanges avec le monde arabe, qui avait conquis une partie de l'Espagne et le sud de la France, avaient fait avancer les connaissances médicales, (l'abbé bénédictin Strabo, élève de Raban Maur, philosophe et savant arabe, rédigea un ouvrage capital sur ce sujet), ils avaient aussi donné à l'Occident le goût de l'alchimie. Bien des mots actuels, comme alambic, alcool, ou élixir, nous viennent du vocabulaire alchimique arabe. Les recherches médicales eurent très tôt des buts plus secrets, comme ceux de la transmutation des métaux en or, ou de la fabrication de la panacée, ce remède qui aurait assuré une vie sans fin.

Les hommes continueront longtemps, souvent avec bon sens, parfois avec superstition ou malice, à prêter à certaines substances un grand pouvoir, mais ce n'est sans doute pas au XIIIe siècle qu'ils abusèrent le plus de cette pharmacopée ; la foi était grande alors et la sorcellerie n'atteindra son amplitude qu'au XVIIe siècle. On l'appela "le grand siècle", fut-il réellement plus grand que celui qui vit fleurir tant d'inventions et monter vers le ciel tant de cathédrales ?

LES APOTHICAIRES dans les vitraux.
N° 21. Saint Nicolas. (5). (Photo).

La petite scène de droite montre une très rare, sinon unique, représentation d'un apothicaire dans son officine. Il prépare sans doute, à l'aide d'un pilon et d'un mortier, l'une de ces potions si peu appétissantes évoquées plus haut ! On remarque, à gauche, une bouteille soigneusement bouchée, et à droite, sur une étagère, un énorme bocal.

N° 21. L'officine de l'apothicaire.

LES CHANGEURS

L'échange est né le jour où l'homme ne s'est plus suffi à lui-même et à dû céder une part de ses produits contre d'autres qui lui manquaient.

A l'origine, on eut recours au troc, maintes matières servant de moyen d'échange : coquillages, sel, cuir, graines et, bien entendu, l'objet nécessaire ou convoité contre celui dont on n'a pas un besoin essentiel. Cet usage n'avait pas disparu dans le haut Moyen-Age et l'on échangeait encore facilement un cheval contre un lopin de terre ; le XXe siècle, en bien des points du monde, peut constater que le troc existe toujours : il suffit de se rendre sur un marché d'Asie ou d'Afrique.

Les véritables ancêtres de la monnaie sont les cachets (5 000 ans avant Jésus-Christ), et les cylindres (environ 3 500 ans avant Jésus-Christ) utilisés en Asie Mineure et en Mésopotamie. A l'époque babylonienne, on fondit des lingots, les hommes ayant éprouvé la nécessité de trouver une matière stable et de volume réduit qui résolvait les problèmes de juste équivalence et d'encombrement. Ces lingots furent ensuite divisés... en pièces ; les premières, faites d'électrum, seraient apparues, selon Hérodote, vers 640 avant Jésus-Christ. L'usage des pièces se répandit très vite ; certaines d'entre elles furent de véritables œuvres d'art et des documents précieux pour l'Histoire, présentant des portraits, des scènes domestiques ou des batailles.

Au VIIIe siècle, l'Europe, suivant l'exemple des Carolingiens, basa sa monnaie sur l'argent, l'or, déjà rare, allait être thésaurisé et prendre ainsi plus de valeur. Avec l'expansion commerciale, on prit l'habitude, au XIIe siècle, de payer en monnaie, d'où l'apparition d'une incroyable diversité de pièces : chaque prince, prélat ou seigneur avait le droit de "battre" et il était difficile de se reconnaître d'une province à l'autre. De ce fait, la valeur était estimée par la pesée qui devint une précaution élémentaire d'autant que des fripons, rusés et peu scrupuleux, limaient les pièces, récupérant un peu de limaille qui

était ensuite refondue ! La coutume de la "rognure" deviendra si flagrante que, sous saint Louis, on crèvera les yeux des faux-monnayeurs. Un peu plus tard on les jettera tout bonnement dans l'huile bouillante !

A Chartres, ville riche par son École, ses pélerinages et ses foires, le commerce est florissant. Les changeurs s'installent près de la cathédrale, pôle d'attraction religieux et culturel de la cité. Ils laisseront leur nom à la rue des Changes, à la rue du Petit-Change, et au carrefour des Quatre-Coins. (Le coin était un moule en métal qui servait à couler les médailles et les pièces.) Au XIe siècle, les changeurs avaient déjà vingt-deux tables, et le nombre de celles-ci ne cessa de s'accroître. De nombreux juifs exercèrent le métier dès l'époque mérovingienne ; regroupés en basse-ville, ils donnèrent leur nom à une rue, située hors de l'enceinte. Aujourd'hui, après avoir porté divers noms, elle est redevenue la rue aux Juifs, rue dont l'existence est attestée dès 1130.

Les changeurs chartrains n'égalèrent jamais les fastueux banquiers florentins, mais l'afflux des pélerins favorisa l'extension de leur activité. Lorsque celle-ci se convertissait en usure, se manifestait alors la vive réprobation du clergé ! La charge se transmettait le plus souvent de père en fils, ou au moins restait dans la famille. Dès 1070, l'une de ces familles vit ses membres se succéder dans la profession, et ce jusqu'au XIIIe siècle. Cumulant souvent les charges de monétaires et d'orfèvres, certains changeurs acquirent cependant, à Chartres, une réelle puissance. Ils avaient regard sur les affaires privées d'importants chartains, et étaient soutenus, si nécessaire, par les "maîtres et gardiens des foires", qui veillaient à l'ordre moral et à la bonne marche des tractations. Ces maîtres étaient même habilités à poursuivre le clergé lorsque celui-ci était pris en défaut !

LES CHANGEURS dans les vitraux.
N° 22. Histoire de Joseph (1 et 2). (Photo).

Les donateurs ont offert cette verrière pour honorer la mémoire de Joseph, fils de Jacob, qui fut vendu par ses frères aux Ismaélites pour vingt pièces d'argent, préfigurant le Christ, vendu par Judas.

Dans le demi-cercle oblique inférieur gauche, les changeurs se tiennent derrière une table sur laquelle brille un tas de pièces. L'un d'eux pèse la monnaie. Le meuble est élégant, ses pieds sont tournés, il est recouvert d'une nappe de velours ; nous sommes bien loin du modeste étal des bouchers.

Dans le médaillon de droite, le changeur tient un objet qui semble être une escarcelle. Il examine une pièce qu'il tient levée à hauteur des yeux : craint-il la "rognure" ? Son commis effectue, pendant ce temps, la pesée d'autres pièces.

N° 32. Gabriel-Zacharie, Jean-Baptiste.

Dans le panneau central, moderne, un changeur effectue la pesée, installé derrière une énorme balance.

Il est entouré par deux hommes : l'un a les mains posées sur un tas de pièces, l'autre tient une escarcelle.

Un peu au-dessus, dans deux demi-cercles, deux personnages semblent en conversation. Celui de gauche, coiffé d'une calotte, un gant passé dans la ceinture, s'adresse, par delà le quadrilobe central, à son interlocuteur dont la table supporte un vase d'or et des pièces.

N° 38. Saint Pierre recevant les clefs.

A gauche, un changeur est en conversation avec un homme qui lève la main, très volubile, et qui tient une bourse, jalousement serrée contre lui. Sur la table, on distingue deux tas de pièces d'or et d'argent.

A droite, c'est à nouveau la pesée, effectuée à l'aide d'une énorme balance. Dans l'un des plateaux et sur la table, on aperçoit des sacs emplis de pièces. A droite, scintille un tas de monnaie.

N° 41. Un Apôtre.

Voici la quatrième fenêtre, offerte par les changeurs, qui demeure actuellement. (La cinquième, disparue, se trouvait au transept sud, côté est, là où l'on peut admirer maintenant le beau vitrail moderne offert par les architectes américains en 1954. Réalisé par le verrier François Lorrain, il raconte la vie et l'œuvre de St Fulbert, bâtisseur de la cathédrale romane.)

Les changeurs sont ici représentés debout derrière une belle table qui montre leur aisance. L'un compte des pièces, l'autre renverse sur le tapis de table le contenu de sacs emplis de monnaie.

N° 22. Les changeurs.

LES MERCIERS

Leur nom vient du latin "merx", la marchandise. C'est dire qu'ils étaient des sortes de grossistes, allant s'approvisionner jusqu'aux foires de Russie et vendant un peu de tout. Leurs boutiques étaient les ancêtres de nos bazars et sûrement des cavernes d'Ali-Baba pour les classes les moins aisées.

On y trouvait des ustensiles ménagers, des bougies, des dés à jouer, des ornements pour le vêtement et la coiffure, des peignes d'ivoire, d'os ou de buis, des gants, des soieries... On pouvait aussi s'y procurer des parfums, généralement à base de musc, et des cosmétiques. Les élégantes d'alors faisaient grand usage de ces derniers, prenant soin de prévenir les rides, de garder les dents blanches, de teindre leurs cheveux ou de les garder épais. Elles utilisaient quantité d'onguents et de crèmes, à base de lait d'amande, d'huile d'olive... ou de saindoux, ainsi que des lotions faites de plantes macérées. Le clergé critiqua vivement l'emploi immodéré de ces subterfuges qui tentaient de corriger les imperfections de la nature !

Très appréciés et nombreux, les merciers furent constitués en "corps" dès le XIIᵉ siècle. La Halle aux Merciers se trouvait, à Chartres, dans l'actuelle rue du Cardinal Pie, tout près du Marché à la Filasse, dont le souvenir est perpétué par l'inscription peinte sur l'une des pierres qui encadrent l'entrée de la petite rue St Yves, tout près de la cathédrale, côté nord.

LES MERCIERS dans les vitraux.
Nᵒ 21. Saint Nicolas (4). (Photo).

Ce vitrail comporte en réalité cinq signatures, car on peut distinguer dans les angles de la bordure de petits personnages portant des ballots. Sont-ce des portefaix ? (voir dans ce même chapitre).

Le mercier tient boutique dans la scène centrale. Le comptoir, beau meuble à colonnes couvert d'une nappe, montre l'aisance de ce commerçant. Divers articles sont exposés dont, à gauche, une grappe de raisin. Des ceintures à franges et à boucles sont accrochées à une traverse, le client se penche, surveillant la pesée.

Nᵒ 21. Les merciers.

LES PORTEFAIX

Dans toute l'iconographie ancienne on peut rencontrer, avec un peu d'attention, ces hommes humbles, penchés sous le poids des fardeaux : chinois aux fines moustaches pendantes des estampes, aztèques gesticulants des murs des palais mexicains, esclaves d'Égypte qui se suivent, hiératiques, sur les bas-reliefs des temples, serfs moyennageux, encapuchonnés et craintifs, tous racontent un dur métier qui a survécu malgré le progrès. En effet, dans bien des pays, on peut croiser encore au hasard d'une ruelle, courbés sous un invraisemblable assemblage d'objets plus ou moins bien arrimés, les portefaix.

Des portefaix au Moyen-Age, on ne sait pratiquement rien ; aucune trace de leur confrérie, de leurs éventuelles occasions de se réunir, pour des fêtes, au cours de repas. Ils devaient pourtant être fort nombreux, participant à l'animation de la ville, hélés à gauche, hélés à droite, en toutes occasions où il y avait "paquet" à transporter. De quelle ingéniosité ne firent-ils pas preuve, pour faciliter leur tâche, la rendre moins pénible, et porter le plus grand poids ou le plus grand volume ? Certains confectionnant des bâtis, d'autres s'aidant de vanneries diverses, d'autres enfin ceignant leur front d'un large bandeau qui, passant derrière le ballot, allègera la charge ; tous, suivant le pays, la région ou l'époque, donnaient le plus bel exemple de courage et d'humilité.

A Chartres, on peut avoir une pensée pour les portefaix, lorsque gravissant les degrés de certains escaliers pittoresques de la vieille ville, qui portent le nom de "tertres", on remarque, tout en haut, de belles banquettes de pierre, verdies par le temps, accotées aux murs. Elles étaient là pour permettre aux gens de la cité de se reposer un peu après la rude grimpette et, aussi, pour offrir aux portefaix, et aux lavandières, chargées de lourds paniers emplis de linge mouillé, un endroit surélevé sur lequel ils pouvaient, d'un coup d'épaule ou de hanche, décharger leur fardeau et reprendre souffle.

LES PORTEFAIX dans les vitraux.

N° 40. Saint Gilles. (Photo).

Dans les angles inférieurs de la bordure, on distingue deux personnages, le dos courbé sous le poids d'énormes ballots. Une bande d'étoffe ceint leur front, un ingénieux système de baguettes allège la charge.

N° 40. Un portefaix.

LES PORTEURS D'EAU (LES ÉVIERS)

En cette fin de XXe siècle, il faut se rendre dans les régions dites "pays chauds", pour rencontrer encore des porteurs d'eau, costumés parfois de façon pittoresque, ceints d'une ribambelle de gobelets tintinnabulants et portant sur l'épaule de très prosaïques bidons cabossés.

Depuis l'Antiquité, on eut recours à ce corps de métier, et les "éviers" du Moyen-Age, dont le nom provient du mot latin aqua, qui signifie eau, se transmirent cette commodité de génération en génération. Ces hommes avaient sans doute fort à faire pour approvisionner les maisons trop éloignées de la fontaine, pour servir les personnes âgées, impotentes, ou n'ayant pas assez d'aisance pour s'offrir des serviteurs.

Le Moyen-Age fut, on le sait, une période de grande hygiène ; bien des foyers possédaient un cuveau pour le bain, et les écrits sont nombreux qui recommandent le plus grand soin pour la toilette jusque dans ses moindres détails, ongles, cheveux et dents. Les règles des monastères n'omettaient pas les mêmes conseils. Une profession, étroitement liée à celle des porteurs d'eau, était donc également florissante, celle des étuviers. Commerçants cossus, tenant boutique, ils accueillaient les personnes qui ne disposaient sans doute pas du matériel nécessaire, ou qui recherchaient l'amicale ambiance d'un lieu de rencontre. Des bains chauds étaient proposés, préparés dans les cuviers de bois tapissés d'un linge qui protégeait des échardes. Le client avait ensuite à sa disposition des étoffes tiédies pour se sécher, ainsi que des parfums. Il pouvait être rasé, épilé, et profitait parfois des talents de chirurgien de l'étuvier qui, bien souvent, saignait et posait ventouses.

Les personnes de mauvaise vie et les lépreux étaient exclus de ces lieux où l'on associait les joies de l'hygiène et celles de se retrouver entre gens de bonne compagnie dans des conditions de détente. Mais les bains étaient mixtes, dans la plupart des cas, et une licence certaine s'installa dans les étuves ! On sépara d'abord les hommes des femmes, puis finalement tous les bains furent fermés, par ordonnance.

A Chartres, les porteurs d'eau, reconnus comme ailleurs d'utilité publique, jouissaient de certains privilèges. Ils étaient ainsi dispensés de tous impôts et taxes, à condition de s'engager à porter l'eau gratuitement, de jour et de nuit, en n'importe quel point de la ville, dans le cas où surviendrait un incendie. Quand on sait quel fléau était le feu pour les cités, au Moyen-Age, on peut se demander si les pauvres éviers équilibraient leurs finances grâce à une exemption exigeant une telle contrepartie !

La confrérie des étuviers se tenait, à Chartres, en basse-ville, ainsi que dans l'actuelle rue aux Juifs, qui s'appela longtemps rue aux Vieilles Étuves. Ils avaient aussi quelques établissements rue Porte Évière, qui ouvrait sur le rempart. Comme dans les autres villes leurs boutiques disparurent les unes après les autres, et l'on n'entendit plus la jolie ritournelle qui annonçait l'ouverture des étuves et cherchait à attirer la clientèle : *"les bains sont chauds, c'est sans mentir..."*.

LES PORTEURS D'EAU dans les vitraux.

N° 2. Sainte Marie-Madeleine (1.2.3). (Photo).

Deux porteurs d'eau sont représentés dans les quarts de cercle à gauche et à droite, au bas de la verrière. Assis dans une posture élégante, ils renversent, en un geste qui évoque celui du Verseau, des vases d'où s'écoule une eau verte et bleue. (Ces couleurs ont parfois fait interpréter, à tort, cette signature comme étant celle des teinturiers.)

Dans le triangle central, le vendeur d'eau emplit sa cruche à la rivière. Un cheval à ses côtés se désaltère. La présence de cet animal illustre peut-être une ancienne croyance qui disait que là où boivent les chevaux, l'eau est potable pour l'homme.

Il semble logique d'associer les étuviers aux éviers, même s'ils ne sont pas représentés ici, comme donateurs de la verrière. Le thème développé au-dessus est, en effet, l'histoire de Marie-Madeleine qui répandit sur les pieds du Christ le contenu d'un vase empli de parfum précieux ; on se souvient que les étuviers vendaient des parfums. (On peut voir Marie-Madeleine prosternée aux pieds du Christ dans la partie gauche du cercle inférieur. Le vase se détache sur le perlé de la bordure.)

N° 2. Les porteurs d'eau.

LES POTIERS D'ÉTAIN

L'étain fut utilisé dès l'Antiquité, pour laquelle il était métal précieux. L'écrivain Plaute, à propos d'un intérieur romain, parle de plats d'étain ; on trouva d'ailleurs un grand nombre d'objets de ce métal lors de fouilles sur des sites gallo-romains, par exemple en Angleterre.

L'utilisation courante de l'étain en Europe remonte à l'an mil ; ce serait à cette époque que des caravanes venant d'Asie, et des bateaux commerçant avec les îles indiennes, importèrent des objets utilitaires ou décoratifs. Dès le XIIᵉ siècle, de nombreuses mines furent exploitées en France, ainsi en Beauce. On fondait le métal sur place, afin de le débarrasser des impuretés et des autres minerais qui s'y trouvaient mêlés, et on le transformait en barres, plaques et lingots, aisément transportables.

L'emploi de l'étain resta d'abord limité car il était concurrencé par le bois et l'argile, moins onéreux, mais bientôt son apparence cossue le fit apprécier des gens aisés. Hélas !... on s'aperçut vite qu'il s'oxydait au contact des aliments, on lui préféra alors l'argent, le vermeil et l'or, et si, en 1066, Édouard le Confesseur possédait 300 assiettes d'étain... elles étaient réservées aux serviteurs. (Il est possible de "s'initier" au coulage des cuillères et des coupes en lisant le Traité des Divers Arts, rédigé en l'an 1100, par le moine Théophile. Cet ouvrage, qui aborde des sujets divers, fut très important, dans l'histoire de l'art, pour la connaissance des techniques de cette époque.) Malgré la prise de conscience du risque de son emploi, ce métal continua d'être fondu pour maints usages et le XIIIᵉ siècle l'utilisa encore largement pour la fabrication de nombreux objets : ustensiles de cuisine, bassins divers, lampes de nuit, récipients pharmaceutiques, clystères, bouillotes, chauffe-mains, chauffe-ventres, vases de nuit, plats à barbe et même... des biberons ! On en fit également des objets pieux, tel le reliquaire qui reçut, enveloppé "de soie et d'encens", le cœur de Richard Cœur de Lion, en 1199.

Il reste fort peu d'objets de cette époque, parce que l'étain s'oxyde, il se couvre de vilaines taches : c'est la "peste de l'étain" il est alors nécessaire et facile de le fondre pour fabriquer de nouvelles pièces. Enfin on ne sait pratiquement rien de cette industrie jusqu'à la fin du XIIIᵉ siècles, toujours en raison de l'absence de statuts régentant la profession. On sait cependant que le métier fut toujours très surveillé, et les fraudeurs, ceux qui mêlaient plus de plomb que permis pour obtenir une bonne "coulée", étaient sévèrement punis. Les poinçons se montrèrent vite nécessaires ; on vit d'abord les poinçons des maîtres, apposés sur la table commune à plusieurs artisans, puis vinrent un peu plus tard les poinçons de jaugeage, qui certifiaient la contenance des *pintes, pots, tierces et chopines* entre autres récipients. La fonte fut bientôt réalisée dans des moules-étalons, conservés en un lieu officiel et prêtés pour l'occasion. Malgré des conditions de travail pénibles, une femme au moins exerça le métier ; un texte parle, en 1313, de "Dame Typhaine, potière d'étain...".

A Chartres, les "miracliers" fondirent ampoules et médailles, ornées de la Sainte Chemise de la Vierge. (Chemise qui est en réalité un long morceau d'étoffe de soie, honoré comme étant le voile de Marie, et conservé, dans une monstrance dans la chapelle St-Piat, avec le trésor de la cathédrale.) Les potiers d'étain avaient leurs ateliers dans le quartier de la Poterie, voisin de la place des Halles et de la rue St-Michel. Les potiers de terre partageaient avec eux cette partie de la ville.

Les artisans de cette époque sont restés pour nous anonymes. Le premier potier d'étain dont le nom soit passé à la postérité est Pierre Offroy ; il mourut en 1439. Quant à Louis Boyez (qui succéda à Vovelle, célèbre artiste en la matière), il eut le triste privilège de tenir le dernier atelier de la ville. Il mourut en 1938.

LES POTIERS D'ÉTAIN *dans les vitraux.*

N° 45. Saint Lubin. (Petite rose). (Photo).

Comme on a pu le voir dans la verrière n° 24, Saint Lubin fut mis en relation avec les vignerons car il fut chargé, un temps, de veiller sur le cellier de son monastère.

Cette rose étant consacrée à ce saint, on a vu longtemps, dans les vases présentés par les deux hommes, des récipients contenant du vin. On s'accorde maintenant à penser que les potiers d'étain qui fabriquaient tant de cruches, gobelets et hanaps, choisirent très logiquement Lubin comme saint patron.

N° 45. Les potiers d'étain.

LES SONNEURS-CARILLONNEURS

Si l'on en juge par le silence des documents, nul sonneur chartrain n'atteignit jamais la renommée de Quasimodo ! Pourtant, dans cette ville religieuse aux nombreuses églises, les carillonneurs avaient place à tenir. La sonnerie de Notre-Dame était célèbre et l'évêque de Chartres saint Yves signale, au XIIᵉ siècle, que Mathilde, reine d'Angleterre, offrit personnellement des cloches à la cathédrale.

Faute de carillonneur à commémorer, on peut assurément accorder une pensée à ceux qui fondirent les cloches. Dans le haut Moyen-Age, le poids de celles-ci n'excédait par 4 000 livres ; un texte parle bien d'un certain *Gros Thibaud* de 28 000 livres qui *"à paine fut monté"* en haut de l'abbaye de Magdelaine, à Châteaudun, mais preuve ne demeure de cet exploit ! Le poids et le volume des cloches augmentera au fil des siècles.

Les fondeurs chartrains, dont le métier fut longtemps assimilé à celui des armuriers, avaient grande réputation. L'un d'eux, Jehan le Maçon, fit tout d'abord ses preuves dans sa ville natale : il fabriqua les deux gros bourdons Marie et Gabrielle qui pesaient respectivement trente et vingt mille livres. Sa plus grande gloire fut d'être appelé à Rouen par un ecclésiastique, Georges d'Amboise. En effet, ce distingué prélat rêvait de faire fondre une cloche particulièrement importante. Notre cardinal, s'étant tout d'abord assuré le financement de la cloche en vendant, pour 2 015 ducats, une importante collection d'ornements d'église réhaussés d'or, eut enfin le bonheur de voir exécuter l'objet de ses désirs : une cloche de 32 000 livres ! (Le poids prévu initialement ne fut pas atteint car on craignit qu'une masse de 42 000 livres n'ébranlât dangereusement la Tour de Beurre.) Entre diverses inscriptions et dédicaces, on pouvait lire sur la face extérieure du chef-d'œuvre : *"Jehan le Maçon, demeurant à Chartres, m'a faite..."* Jehan ne vécut que 26 jours après la finition de la cloche *"mourant de la joie qu'il en eut..."* ce qui peut nous paraître pour le moins fort injuste ! "Georges d'Amboise"

sonna, pour la première fois, lors de l'entrée solennelle du cardinal dans la cité, le 21 janvier 1502.

La cathédrale de Chartres possède actuellement sept cloches. Le "timbre", placé en 1520 dans la lanterne du clocher neuf, fut épargné par les révolutionnaires qui fondirent les cloches pour en faire des canons ; de même, il échappa, en 1836, à l'incendie qui détruisit les beffrois des deux tours. C'est une énorme cloche, pesant cinq tonnes ; elle est immobile, deux marteaux la frappent alternativement et révèlent sa puissance. Six cloches vinrent rejoindre le timbre, dès 1840. Ce sont Anne, Élisabeth, Fulbert, Piat, Marie et Joseph, mues par un mécanisme qui remplaça, en 1887, celui usé par le temps.

Si Huysmans a plongé ses lecteurs dans le froid univers d'une âme en recherche, le visiteur qui aborde la cathédrale par le nord ou par le sud, par le levant ou le couchant, entendant carillonner les cloches au son amplifié par le Cloître, ne peut que sentir monter en lui la joie, il ne peut que se croire :

"en un clair matin, de roses se coiffant,
Où l'âme est comme un ciel de Pâques plein de cloches,
Où la chair est sans taches et le cœur sans reproches..."

(A. Samain)

... et se sentir alors comme un enfant !

LES SONNEURS-CARILLONNEURS dans les vitraux.

Nº 8. Le Zodiaque (Le Calendrier) (2). (Photo).

Les voici donc, les sonneurs, partageant la signature avec les vignerons, si discrets qu'ils ont bien souvent échappé à l'œil de ceux qui déchiffraient les vitraux.

Le demi-cercle, au centre de la bordure inférieure, est divisé en deux : à droite, de petits personnages, appuyés sur des bâtons, sont peut-être des pélerins, peut-être des sonneurs, contemplant leur camarade ; celui-ci, à gauche, penché dans l'effort, tire de toutes ses forces sur la corde qui actionne la cloche.

N° 8. Un sonneur-carillonneur.

NOTE :

Lors de la première édition de ce livre, en 1993, l'auteur pensait, à la suite de différents historiens qui se sont intéressés aux corps de métiers donateurs de vitraux, que la verrière du Zodiaque avait été offerte par la confrérie des carillonneurs.

La restauration récente de ce vitrail et son nettoyage (1994) ont rendu lisible l'inscription latine, placée sous les pieds du cheval, dans le médaillon de droite, au premier registre.

Monsieur le chanoine François Legaux, recteur de la cathédrale, a proposé une traduction de ce texte, en partie effacé :
"Le comte Thibault donne, à l'heure des vêpres, une vigne (sous-entendu "à un monastère") à la demande du Comte du Perche".

Notre carillonneur serait donc un moine, heureux récipiendaire, avec ses confrères, de ce don de valeur. La présence de vignerons, dans le médaillon de gauche, s'explique alors aisément.

...Ainsi donc, en ce début de XIIIe siècle, Chartres est ville renommée du royaume de France. Ville animée par une population variée, laborieuse et frondeuse : ouvriers et cultivateurs, vilains et bourgeois, artisans locaux et commerçants itinérants, voyageurs et pèlerins, étudiants, clercs et écolâtres rendent la cité vivante et prospère.

Au centre de la ville est un enclos, le "Cloître Notre-Dame", ceint de maisons habitées essentiellement par les chanoines, et de murailles percées de neuf portes. Un enclos où des gardiens (que l'on équipera plus tard de cotes de mailles et de bassinets, et que l'on armera d'épées), tentent de maintenir un ordre souvent troublé par les rixes, les vols, les grèves et les émeutes. Mais un enclos où l'on fait aussi la fête, et où l'on assiste, sur le parvis, à la représentation merveilleuse des Mystères.

Et au cœur de ce Cloître, jaillissant vers le ciel dans toute la puissance et l'élan de sa splendeur de pierre, s'élève la cathédrale, temple de Dieu et église illustre entre toutes, mais aussi lieu de rencontres et d'échanges, abri nocturne des pèlerins, asile inviolable des infortunés.

Après huit siècles, pratiquement intacte, la cathédrale de Chartres offre au monde le même symbole d'énergie humaine et de créativité, la même vision de beauté, le même message de foi.

La statuaire et les vitraux gardent vivants des hommes et des femmes, humbles et laborieux, mêlés aux grands personnages contant notre Histoire. Ensemble *"en marche sous l'œil de Dieu... ils furent représentés par des ouvriers qui mettaient dans leur œuvre toute la tendresse de leur âme"* (Émile Mâle - L'Art Religieux au XIIIe siècle.)

BIBLIOGRAPHIE

G. ACLOQUE. Corporations, industries et commerces à Chartres, du XIe siècle à la Révolution. Paris. A. Picard. 1917.

R. BECHMANN. Les racines des Cathédrales. Paris. Payot. 1984.

J.D. BENDERLY. Ce que racontent Monnaies et Médailles. Colin. 1922.

L. BENOIST. Le Compagnonnage et les Métiers. Paris. Puff. 1966.

J. BOURIN. Les recettes de Mathilde Brunel. Paris. Flamamrion. 1983.

J. BOURIN. La Rose et la Mandragore. B. François Bourin. 1990.

A. CHEDEVILLE. Chartres et ses campagnes. Paris. Klincksieck. 1973.

E. COORNAERT. Les Corporations en France avant 1789. Paris. Éditions Ouvrières. 1966.

Y. DELAPORTE. Les Vitraux de la Cathédrale de Chartres. Chartres. Houvet. 1926.

F. DESPORTES. Le Pain au Moyen-Age. Orban. 1987.

R. DELORT. Histoire de la Fourrure. Édita. 1986.

R. DELORT. Le Moyen-Age. Histoire illustrée de la vie quotidienne. Seuil. Lausanne. 1972.

E. DOYON. La Pierre. Denoël. 1938.

P. DU COLOMBIER. Les Chantiers des Cathédrales. Paris. Picard. 1973.

J. GIMPEL. Les Bâtisseurs de Cathédrales. Paris. Le Seuil. 1980.

J. GIMPEL. La Révolution industrielle au Moyen-Age. Paris. Le Seuil. 1975.

R. GUILLOIS. Histoire des Rues de Chartres. Chartres. L'Écho Républicain. 1978.

E. HOUVET. Monograhie de la Cathédrale de Chartres. Chartres. Houvet. 1962.

M. KERGUS. Métiers disparus.

E. de LEPINOIS. Histoire de Chartres. Garnier. 1852.

A. MALOUIN. Description et détail des Arts du Meunier, du Vermicellier et du Boulanger. 1767.

MARTIN ST LÉON. Histoire des Corporations. Presses Universitaires de France. 1941.

PARMENTIER. Les Métiers et leur histoire. P.A. Colin. 1928.

R. PERNOUD. La Femme au temps des Cathédrales. Stock.

Dr REUTTER de ROSEMONT. Histoire de la Pharmacie à travers les âges. Peyronnet. Paris. 1931.

J.P. ROUX. La Chaussure. Hachette. 1980.

P. SEBILLOT. Légendes et Curiosités des Métiers. Flammarion (sans date).

M. SCHONN. Les Potiers d'Étain de Chartres. Chartres. A. Marré. 1982.

TARDY. Les Étains français. 1959.

R. THÉVENIN. Les Fourrures.

J. VILLETTE. Les vitraux de Chartres. Hachette. 1964.

TABLE DES MATIÈRES

Réimprimé en mai 2000
sur les presses de l'imprimerie Chauveau
28630 Le Coudray
Dépôt légal : mai 1993